毎日聴力日本語 初級 I

Everyday Listening in 50days

50日課程

《本教材需配合有聲 CD 或錄音帶使用》

授業の始めの15分間に

通学電車の車内で

生教材へのステップに

河原崎 幹夫 ● 監修　　太田 淑子　柴田 正子　牧野 恵子 ● 共著
三井 昭子　宮城 幸枝

毎日の聞き取り50回

Everyday Listening in 50days

大新書局　印行

まえがき

　外国語を「聞く」ということは、限られた時間内に学習言語の聞き慣れない音声をその文法のルールに従って理解していくことです。このように複雑な情報処理を必要とする「聞きとり」を苦手とする学習者は大勢います。一方で、日本語教育の授業時間のなかで「聞きとり」にかける時間はまだまだ少なく、指導方法も十分研究されているとは言えません。

　私たち筆者は学習者が苦手意識を持ってしまうまえに、日本語を習慣的に聞かせることによって、できるだけ早く日本語の「耳」をつくることが大切だと考え、この教材を作成しました。

　東海大学留学生教育センター別科日本語研修課程では、この初級「毎日の聞きとり」および中級日本語聴解練習『毎日の聞きとり50日』(1992凡人社) を使い、日本語学習のごく初期の段階から聞きとりの練習を行ってきました。このように、習慣的に聞きとりの練習をするようになってから聞きとりに対する抵抗感、苦手意識を持つ学習者が少なくなったように思われます。また、自らの弱点を見つけ意識的に改善しようとする意欲が見られるようになりました。

　この初級日本語聴解練習『毎日の聞きとり50日』は数年前に作成したものを実際に授業で使用し、検討を重ねてできたものです。まだまだ改善すべき点は多々ありますが、「聞きとり」の指導に対する私たちの一つの提案として多くの方々に使っていただきたいと考えました。みなさまのご意見やご批判をいただけますようお願いいたします。

　末筆になりましたが、東海大学留学生教育センターの先生方には試作の段階からこの教材をお使いいただき、様々な貴重な助言をいただきました。心より御礼申し上げます。

1998年4月

筆者一同

この本で学習するみなさんへ

1. この本のレベル

⇨ この本は日本語をはじめて勉強する人のための聞きとりのテキストです。

⇨ 中級レベルの人も復習として使うことができます。

2. この本の構成

　この本は、Vol．1が1〜25課、Vol．2が26〜50課の全部で50課あります。各
課の構成は次のとおりです。

「基本練習」

　　授業で習った文法や文型を聞いて理解できるかどうか復習するための基
本的な練習です。こまかい部分にもよく注意して聞きましょう。

「会話を聞きましょう」

　　各課の文型を使った会話です。絵を見ながら場面を想像して聞きましょ
う。授業で習った文型が日本の生活の中で、どのように使われるかがわか
ります。

「書きましょう」

　　各課の学習項目で大切な部分の書きとりです。ひらがなで正しく書ける
ようにしましょう。

致以本書學習的各位

1. 本書的程度

➡ 本書是爲了剛開始學習日語的人所編輯的聽力教科書。

➡ 已有中級程度的人也可以用來複習。

2. 本書的構成

本書的初級 I 爲 1～25 課，初級 II 爲 26～50 課，由 50 課編成。各課構成如下。

 基本練習

這個部分是，以聽力確認是否了解上課中所學的文法或句型的複習式基本練習。請特別注意傾聽細節部分。

 會話聽力

這部分是使用各課句型的會話，請邊看圖畫邊想像場面來聽。聽過後就會了解在上課中學習的句型，在日本的生活裡是如何使用的。

 聽寫

這是聽寫各課學習項目中重要部分的單元。請用平假名正確寫出來。

3. この本の使い方

➡ 日本語の聞きとりが上手になるためには、毎日続けて聞くことが大切です。
　毎日、1課ずつ練習してください。

➡ 初級のレベルでは、日本語の音声に慣れることが大切です。聞きとれないと
　ころは、わかるまで何回も聞いてください。

4. この本の特色

　この本には聞きとりの力を高めるためのいろいろなタスクがあります。また、
各課の会話は日本の生活のさまざまな場面を表わしていますので、楽しく練習が
できると思います。どうぞ最後までがんばってください。

3. 本書的使用方法

⟹ 每天持續聽，是增強日語聽力的不二法門。請每天練習1課。

⟹ 初級階段中，適應日語的聲音是很重要的步驟。聽不懂的地方請再三傾聽到懂為止。

4. 本書的特色

本書裡有各種提昇聽力的練習。此外，各課的會話都表現出日本生活中的種種場面，相信各位可以很愉快地學習。請各位好好加油，貫徹始終。

この教材をお使いになる先生方へ

1. この教材のねらい

　　初級段階での「聞きとり」の指導は中級・上級の聞きとりへの基礎固めとして非常に重要な意味を持ちます。しっかりとした基礎を築くためにはどのような指導をしたらよいのでしょうか。私たちは初級段階の到達目標を以下のように考え、この教材を作りました。

❶ 日本語の音声を正確に聞き分ける「耳」をつくり、音声言語としての日本語の特徴を理解し、それを聞きとりに役立てる力を養う。

❷ 文法や基本文型の知識の定着をはかると同時に、習得した知識を応用して聞きとる柔軟な理解力を養う。

❸ その言葉の使われる場面・背景の理解を伴った練習をすることで、逐語的・直訳的な理解ではなく、日常生活に応用できる総合的な聴解力を養う。

❹ 文脈の中で推測・類推する、絵や地図を見ながら聞く、話の場面のイメージを浮かべながら聞くなどの様々な聞きとり行動における運用能力を高める。

2. この教材の特色について

❶ この教材は東海大学留学生教育センター編『日本語初級Ⅰ・初級Ⅱ』のテキストを参考に、初級レベルの最も基本的な文型・文法事項・語彙の範囲で問題を作成しました。したがって、他の初級教科書を使っている学習者の方々にも十分に役に立つと思います。

❷ 中級・上級の聞きとりの基礎となる力を養うために、初級段階の聞きとり練習ではまず第一に日本語の文の構造や文法をしっかりと理解し、助詞や動詞の活用による音声変化など細かい部分に注意を払って正確に聞くことが大切です。この教材の「基本練習」ではこのように細部に注意して聞く姿勢を養う練習を多く行います。

❸ これに対して、「会話を聞きましょう」はその課以前に学んだ文法項目・語彙の範囲内で作成したトピック性を持つ会話文を聞く練習です。これはボトム・アップ式の聞き方だけでなく、経験や予測などを駆使して全休の意味をとらえるトップ・ダウン式の聞き方の練習に役立つことをねらいとしています。日本語学習のごく初期のうちからまとまった内容の話を聞くことは中・上級の聞きとりへの橋渡しとして役立つと考えます。

❹ アクセントによる意味の違いや聞きとりにくい音声に焦点をあてた練習など、音声言語としての日本語の特徴に注意して聞くことができるように配慮しました。

❺ この教材には、イラストを使った練習が多く出てきます。これは音声を聞いて正確にその状況をイメージするのに役立ちます。そして、習った文型・文法事項を実際に使えるレベルにまで高め、定着させることをねらいとしています。

❻ 上記のような教育的視点から工夫してタスクを作成したので、この教材には様々な形式の問題が含まれています。

3. この教材の構成について

1課から25課までのVol. 1と26課から50課までのVol. 2からなり、それぞれ、「CD・テープ」、「解答用タスクシート」、「スクリプト」があります。

❶ CD・テープ

問題の指示文と問題がすべて録音されています。10課までは日本語の音声に慣れるため、ややゆっくり録音してありますが、11課からはノーマル・スピードで録音してあります。また、書きとりなど一部の練習は十分にポーズを取ってありませんので、学習レベルに合わせて、シーディープレーヤーを止めて時間の調節をしてください。

❷ 解答用タスクシート

　1課から50課までの「タスクシート」と「各課の単語リストと中国語訳」、「各課の主な学習事項一覧」があります。

　各課は「基本練習」「会話を聞きましょう」「書きましょう」の三つの部分から構成されています。漢字の読み方とそのひらがな表記を覚えてもらうという目的のため、日本語能力試験３級レベルを目安に漢字仮名まじり、総ルビで書かれています。各練習のねらいは以下のとおりです。

 「基本練習」

　基本文型や文法事項に焦点を当てた、復習と定着のための練習です。促音や長音、撥音など学習者の聞き誤りがちな部分にも焦点を当て、音声的な表現を正確に聞き分ける力を養います。また、学習ポイントの文型や文法事項が実際に使われる最適な場面を考えて会話を作成しました。ですから、学習者は学習項目の文法や文型がどのように使われるかを自然に学習することができます。また、「基本練習」と「会話を聞きましょう」の部分は、内容の聞きとりに重要な役割をする中級・上級レベルの語について、欄外に注をつけました。注がある場合はその意味を確認してから練習をするようにお願いします。

 「会話を聞きましょう」

　やや長い会話を聞いてその内容の大意をつかむ練習です。限られた文型・語彙の範囲であってもできるだけ自然な会話を聞く練習が必要であると考え、日本での生活をテーマに会話を作成しました。文レベルの理解だけに止まらず、音声言語としての日本語の記憶力のスパンをのばし、背景的な知識や常識を活用しながら聞くことをねらいとしています。

「書きましょう」

　学習者が日本語の音韻体系を理解しているかどうかは、日本語の音韻体系の表記文字であるひらがな表記が正確にできるかどうかによって確認できると考えます。最後に各課のポイントとなる文法項目に焦点を当てた書きとりをすることによって、文字による確認を行います。「会話を聞きましょう」は話しことばですが、「書きましょう」は書きことば的な短い文章が中心になっています。異なった文体を聞くということもこの練習のねらいです。

❸ スプリクト

　録音されているすべてのスクリプトと解答があります。スクリプトは日本語能力試験２級レベルを目安にした漢字仮名まじりで、ほとんどすべての漢字にルビがついています。

4.　この教材の使い方

❶ この教材の対象とする学習者ならびに使用開始時期

　日本語を初めて学習する人を対象に作成しました。各単元の基本文型・文法の導入後すぐ使うことができます。しかし、最も効果的なのは文法・文型の導入後１、２週間程度ずらして練習する方法だと考えます。新しい文法・文型の導入直後よりも、熟成時間を置くことによって理解語彙も増え、理解力が高まり、復習にもなるので、定着が良いようです。

　また、各課は特定の文法・文型に的を絞ってあるので、中級・上級者が復習用に弱点を補う練習として使うこともできます。

❷ この教材の活用法について

　この教材の特徴は毎日継続的に聞く練習ができるように作成されているということです。上記のとおり、聞く習慣をつけ、日本語音声の情報処理を早く習得することが日本語上達の一つの鍵となります。ですからこの教材を使って毎

日、聞きとりの練習をしてください。

　各学校のカリキュラムや学習者個人の事情、ニーズによって聞きとりに使う時間が限られると思います。各課の問題すべてを教室で扱うことは難しい場合もあるでしょう。そのような場合は「基本練習」だけを継続的に使うこともできます。「基本練習」はだいたい5分程度でできるようになっています。その場合には「会話を聞きましょう」、「書きましょう」は自宅での課題として使ってもいいと思います。あるいは、復習として使う場合は「会話を聞きましょう」を使って細かく聞きとる練習をするのもいいと思います。

❸ 巻末の単語表・スクリプトの使い方について

　学習者のレベルや背景によって単語の意味を確認してから聞かせる方法、練習の後の確認として使う方法が考えられます。先生方のご判断により、巻末の単語表を活用してください。

　スクリプトはよく聞き取れない音声の確認だけでなく、文字によって表現されているものが音声的にどのように現されるのか、また逆に音声表現がどのように書き表せるのかを学べる教材でもあります。特に「会話を聞きましょう」の部分はスクリプトを見て、音声的にどのように表現したらよいか考えてからCDかテープを聞き、確認するのもよい練習になります。

5.　聞き取りの指導について

　この教材には聞きとりの力をつけるためいろいろな工夫がしてあります。しかし、効果的に聞きとりの力をつけるためにはやはり、聞こえなかったところ、理解できなかったところを納得するまで聞きなおす努力が必要だと思います。教室ではひととおり聞いて問題をするだけでなく、必ずもう一度聞きなおし、問題点の解明をするなど、きめ細かな指導をお願いします。また、日本語音声を記憶、維持する力をつけるために、聞いた文をリピートするのも良い練習方法であると考えます。

目　次

 # この<ruby>女<rt>おんな</rt></ruby>の<ruby>人<rt>ひと</rt></ruby>はだれですか。

Tape 1-A CD 1-1

 1. これはだれのですか、<ruby>会話<rt>かいわ</rt></ruby>を<ruby>聞<rt>き</rt></ruby>いて、<ruby>例<rt>れい</rt></ruby>のように<ruby>線<rt>せん</rt></ruby>を<ruby>書<rt>か</rt></ruby>いてください。

① ② ③

ヤンさん

辞書　　　　　NOTE BOOK

2. <ruby>例<rt>れい</rt></ruby>のように<ruby>正<rt>ただ</rt></ruby>しい<ruby>会話<rt>かいわ</rt></ruby>を<ruby>選<rt>えら</rt></ruby>んでください。

<ruby>例<rt>れい</rt></ruby>　ⓐ　　　　　b

① a　　　　　b

② a　　　　　b

③ a　　　　　b

④ a　　　　　b

⑤ a　　　　　b

⑥ a　　　　　b

⑦ a　　　　　b

⑧ a　　　　　b

14

先生の写真はどれですか。会話を聞いて選んでください。

a

b

c

d

 会話を聞いて、ひらがなで書いてください。

① 「あの人は＿＿＿＿＿＿＿＿＿ですか。」

　「いいえ、＿＿＿＿＿＿＿。にほんじんです。」

② 「すみません。それは　わたしの＿＿＿＿＿です。」

　「ああ、あなたの　ですか。はい、＿＿＿＿＿。」

　「＿＿＿＿＿＿＿＿＿＿＿＿＿＿＿＿＿。」

1. この女の人はだれですか。…

これは一ついくらですか。

<ひと>

 Tape 1-A CD 1-2

 1. 会話を聞いて、例のように会話の内容と合っている絵を選んでください。

例 (a) ① (　　) ② (　　) ③ (　　) ④ (　　)

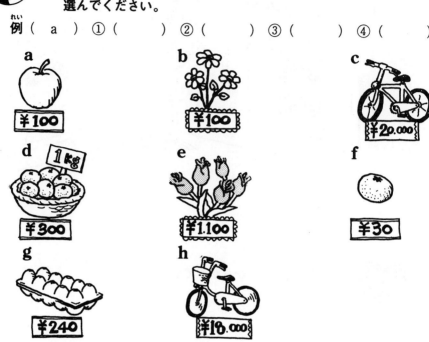

2. 助数詞に注意して会話を聞いて、例のように正しい絵を選んでください。

例 (b) ① (　　) ② (　　) ③ (　　) ④ (　　)

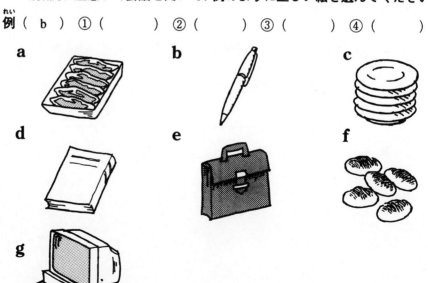

駅のキヨスクでの会話です。よく聞いて、お客さんが買った物の値段を書いてください。

① _____円です。

② _____円です。

③ _____円です。

④ _____円です。

例のようにひらがなと数字で書いてください。

例　これは　いちだい　25000 円です。

① これは _____ _____円です。

② これは _____ _____円です。

③ これは _____ _____円です。

④ これは _____ _____円です。

2. これは一ついくらですか。……

17

3

<ruby>さんびゃく<rt></rt></ruby><ruby>えん<rt></rt></ruby>
300円のを2キロください。

Tape 1-A CD 1-3

1. <ruby>男<rt>おとこ</rt></ruby>の<ruby>人<rt>ひと</rt></ruby>はいくら<ruby>払<rt>はら</rt></ruby>いましたか。<ruby>例<rt>れい</rt></ruby>のように<ruby>答<rt>こた</rt></ruby>えを<ruby>書<rt>か</rt></ruby>いてください。

<ruby>例<rt>れい</rt></ruby>　<u>　２００</u><ruby>円<rt>えん</rt></ruby>

①_____<ruby>円<rt>えん</rt></ruby>　　②_____<ruby>円<rt>えん</rt></ruby>　　③_____<ruby>円<rt>えん</rt></ruby>

2. <ruby>例<rt>れい</rt></ruby>のように<ruby>正<rt>ただ</rt></ruby>しいほうに○をつけてください。

<ruby>例<rt>れい</rt></ruby>

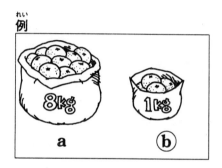

a　　b

①

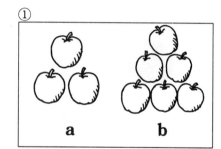

a　　b

②

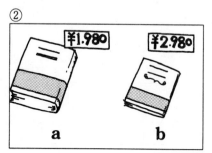

a　　b

③

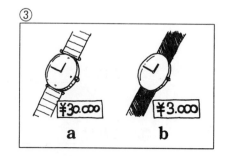

a　　b

④

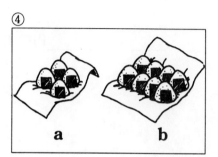

a　　b

⑤

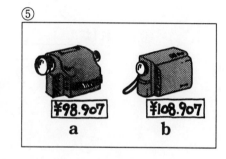

a　　b

会話を聞いて、レシートに書いてください。

レシート

八百春
やおはる

９８年　４月１２日

みかん　　　　　　６００

りんご　＿＿＿＿＿

小計
しょうけい
subtotal　＿＿＿＿＿

消費税５％
しょうひぜい　パーセント
tax　＿＿＿＿＿

合計　　¥１，０５０
ごうけい
sum total

預かり　¥１，１００
あず
deposit

おつり　¥＿＿＿＿＿
change

ありがとうございました

 会話を聞いて、ひらがなで書いてください。

① A：＿＿＿＿＿＿＿＿＿＿＿。

　 B：この＿＿＿＿＿＿のえんぴつを＿＿＿＿＿ください。

　 A：はい、＿＿＿＿＿＿＿です。

② A：このノートは＿＿＿＿ですか。

　 B：それは＿＿＿＿＿　＿＿＿＿＿＿です。

　 A：じゃあ、これを＿＿＿＿＿ください。

　 B：はい。かしこまりました。

　 A：はい。＿＿＿＿＿＿。

　 B：まいど＿＿＿＿＿＿＿＿。

３．３００円のを２キロください。……
さんびゃくえん　　　　　に

4 来週の木曜日は わたしの誕生日です。

Tape 1-A　CD 1-4

1. 絵と合っている会話に○、ちがうものに×をつけてください。

例 (×)　① (　)　② (　)　③ (　)　④ (　)

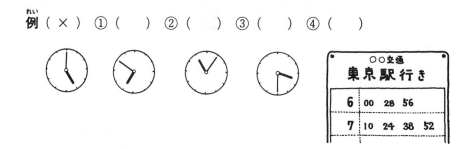

2. カレンダーと合っている会話に○、ちがうものに×をつけてください。
きょうは、4月19日、金曜日です。

例 (×)① (　)② (　)③ (　)④ (　)⑤ (　)
　　　⑥ (　)

3. 図書館の案内を見て、正しい会話に○、正しくないものに×をつけてください。

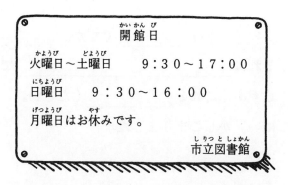

例 (×)① (　)② (　)③ (　)

1. まり子さんの誕生日はいつですか。カレンダーを見ながら会話を
聞いて、答えてください。

まり子さんの誕生日は＿＿＿＿＿＿＿＿＿＿です。

4 apr.						
日	月	火	水	木	金	土
					1	2
3	4	5	6	7	8	9
10	11	12	13	14	15	16
17	18	19	20	21	22	23
24	25	26	27	28	29	30

5 may						
日	月	火	水	木	金	土
1	2	3	4	5	6	7
8	9	10	11	12	13	14
15	16	17	18	19	20	21
22	23	24	25	26	27	28
29	30	31				

2. もう一度会話を聞いて、質問に答えてください。はじめに少し質問を
読んでください。

① まり子さんは今、何歳ですか。

まり子さんはいま、＿＿＿＿＿です。

② 今月は何月ですか。

こんげつは、＿＿＿＿＿＿です。

 数字とひらがなで書いてください。

きょうは＿＿＿＿、「けんぽうきねんび」です。

＿＿＿＿＿＿＿＿おやすみです。あさっては

「＿＿＿＿」です。＿＿＿＿＿＿＿もおやすみ

でした。「＿＿＿＿」でした。

4. 来週の木曜日はわたしの誕生日です。……

ポストはどこですか。 Tape 1-A CD 1-5

 1. 会話を聞いて、絵と合っているものに〇、ちがうものに✕をつけてください。

例 （ 〇 ）
① （　）
② （　）
③ （　）
④ （　）
⑤ （　）
⑥ （　）

2. 会話を聞いて、例のように選んでください。そのあとで、確かめてください。

例 ⓐ あります　　　　　b．います
① a．あります　　　　　b．います
② a．あります　　　　　b．います
③ a．あります　　　　　b．います
④ a．あります　　　　　b．います
⑤ a．あります　　　　　b．います

会話を聞いて、例のように選んでください。

例 (a)　　　　　　　　　　① (　　　　)

② (　　　　)　　　　　　　③ (　　　　)

④ (　　　　)

ひらがなで書いてください。

わたしのアパートは中野（　　　）＿＿＿＿＿。へやは
２０１号室です。このへや（　　　）タンさんといっしょに
＿＿＿＿＿。みなみがわ（　　　）まど（　　　）＿＿＿＿＿。
まど（　　　）そば（　　　）つくえが＿＿＿＿＿。つくえの
うえ（　　　）本やでんきスタンドがあります。テレビはほん
だな（　　　）うえ（　　　）＿＿＿＿＿。でんわは、まだ
＿＿＿＿＿。

<ruby>12<rt>じゅうに</rt></ruby>時にマリアさんの
アパートへ<ruby>行<rt>い</rt></ruby>きます。

Tape 1-B CD 1-6

1. <ruby>絵<rt>え</rt></ruby>を<ruby>見<rt>み</rt></ruby>てください。リーさんは<ruby>今<rt>いま</rt></ruby>、<ruby>学校<rt>がっこう</rt></ruby>にいます。a・b・cの<ruby>文<rt>ぶん</rt></ruby>を<ruby>聞<rt>き</rt></ruby>いて、<ruby>正<rt>ただ</rt></ruby>しいものを<ruby>選<rt>えら</rt></ruby>んでください。

<ruby>例<rt>れい</rt></ruby>	a	ⓑ	c
①	a	b	c
②	a	b	c
③	a	b	c

2. <ruby>例<rt>れい</rt></ruby>のようにa・b・cの<ruby>中<rt>なか</rt></ruby>から<ruby>正<rt>ただ</rt></ruby>しい<ruby>会話<rt>かいわ</rt></ruby>を<ruby>選<rt>えら</rt></ruby>んでください。

<ruby>例<rt>れい</rt></ruby>	a	ⓑ	c
①	a	b	c
②	a	b	c
③	a	b	c
④	a	b	c
⑤	a	b	ç

1. これはマリアさんのスケジュールです。この表_{ひょう}を見_みて、会話_{かいわ}を聞_きいて答_{こた}えを書_かいてください。きょうは何曜日_{なんようび}ですか。

	月(げつ)	火(か)	水(すい)	木(もく)	金(きん)	土(ど)	日(にち)
ごぜん	じゅぎょう 9:00〜12:00 ✏	じゅぎょう ✏	じゅぎょう ✏	じゅぎょう ✏	じゅぎょう ✏	びょういん	
ごご	じゅぎょう 1:00〜3:00 ✏	としょかん	よこはま		としょかん	アルバイト 3:00〜	

きょうは ＿＿＿＿＿＿＿＿ です。

2. スケジュールの表_{ひょう}を見_みて、質問_{しつもん}の正_{ただ}しい答_{こた}えを例_{れい}のように選_{えら}んでください。

例_{れい}　a　　b　　ⓒ

① a　　b　　c

② a　　b　　c

③ a　　b　　c

④ a　　b　　c

①リーさんは１９７２ねん（　）ちゅうごく（　）

しゃんはい（　）＿＿＿＿＿＿。きょねん（　）

１２がつ（　）にほん（　）＿＿＿＿＿＿。

あさって（　）だいがく（　）＿＿＿＿＿＿。

②ハクさんはきのう（　）どこ（　）＿＿＿＿＿＿。

いちにちじゅうアパート（　）＿＿＿＿＿。

あした（　）ともだち（　）しんじゅく（　）＿＿＿＿。

しんじゅく（　）でんしゃ（　）１じかん（　）

＿＿＿＿＿＿。

きれいですね。

Tape 1-B　CD 1-7

1. 会話を聞いて、正しい絵を選んでください。

例

2. 例のように選んでください。そのあとで確かめてください。

例　ⓐ にぎやかな町です　　b. 元気な町です

① a. 長いですね　　　　　　b. とおいですね

② a. 便利なところにありますね

　　b. きれいなところにありますね

③ a. さむいです　　　　　　b. つめたいです

④ a. ちいさいですね　　　　b. みじかいですね

⑤ a. 高い試験ですよ　　　　b. むずかしい試験ですよ

会話を聞いて質問に答えてください。はじめに質問を読んでくだ
さい。

おび

たび

①きょうのパーティはどんなパーティーですか。

＿＿＿＿＿＿＿＿＿パーティーです。

②けい子さんの着物はどんな着物ですか。

＿＿＿＿＿＿＿＿着物です。

③おびは軽いですか。

いいえ、＿＿＿＿＿＿ないです。ちょっと＿＿＿＿＿＿です。

④たびはどんな色ですか。

＿＿＿＿＿＿＿です。

わたしの かぞくは ６にんです。おばあさん、おとうさん、お

かあさん、おにいさんと わたしと いもうとです。おばあさんは

８０さいですが、とても＿＿＿＿＿＿です。ちちは いしゃです。

まいにち ＿＿＿＿＿＿です。ははは とても＿＿＿＿＿＿です。

あには かいしゃいんです。＿＿＿＿＿＿ひとです。いもうととは

とても＿＿＿＿＿＿です。

きのう、何^{なに}をしましたか。

 1. 例^{れい}のように正^{ただ}しい答^{こた}えを選^{えら}んでください。

例^{れい} ⓐ みました　　　　　　b. きました

① a. たべました　　　　　b. よみました

② a. みました　　　　　　b. よみました

③ a. きません　　　　　　b. いきません

④ a. かいました　　　　　b. あいました

⑤ a. よみませんでした　　b. のみませんでした

⑥ a. かいました　　　　　b. かえりました

⑦ a. しません　　　　　　b. きません

⑧ a. しました　　　　　　b. きました

⑨ a. あいませんでした　　b. ありませんでした

⑩ a. いきます　　　　　　b. います

2. 短^{みじか}い会話^{かいわ}を聞^きいてください。次^{つぎ}に a・b の文^{ぶん}を聞^きいて、会話^{かいわ}の内容^{ないよう}に合^あっているものを選^{えら}んでください。

例^{れい} ⓐ　　　b

①　a　　　b

②　a　　　b

③　a　　　b

④　a　　　b

⑤　a　　　b

田中さんはきのう何をしましたか。はじめに絵を見ながら、文を聞いてください。そのあとで会話を聞いて、例のように選んで○を書いてください。

例（○）　　　　　a（　）　　　　　b（　）

c（　）　　　　　d（　）　　　　　e（　）

f（　）　　　　　g（　）　　　　　h（　）

　わたしは、まいあさ7時に＿＿＿＿＿＿＿。そして、

あさごはんを＿＿＿＿＿＿。8時にがっこうへ＿＿＿＿＿＿。

じゅぎょうは9時半から3時までです。わたしのせんせいは

＿＿＿＿＿＿＿せんせいです。4時にうちへ＿＿＿＿＿＿。

まいにち、しゅくだいが＿＿＿＿＿＿。うちで3時間

＿＿＿＿＿＿。それから、テレビを＿＿＿＿＿＿。

ときどき、家族に手紙を＿＿＿＿＿＿。12時に＿＿＿＿＿＿。

だれに<ruby>机<rt>つくえ</rt></ruby>をもらいましたか。

1. <ruby>次<rt>つぎ</rt></ruby>の<ruby>文<rt>ぶん</rt></ruby>を<ruby>聞<rt>き</rt></ruby>いてください。その<ruby>文<rt>ぶん</rt></ruby>と<ruby>絵<rt>え</rt></ruby>が<ruby>合<rt>あ</rt></ruby>っていたら○、ちがっていたら×をつけてください。

<ruby>例<rt>れい</rt></ruby> （○）　　　　① （　　）　　　　② （　　）

③ （　　）　　　　④ （　　）　　　　⑤ （　　）

2. <ruby>例<rt>れい</rt></ruby>のように<ruby>選<rt>えら</rt></ruby>んでください。そのあとで<ruby>確<rt>たし</rt></ruby>かめてください。

<ruby>例<rt>れい</rt></ruby> ⓐ もらいました　　　b. あげました

① a. かしました　　　b. かりました

② a. ならいました　　　b. おしえました

③ a. あげます　　　b. もらいます

④ a. かりました　　　b. かしました

⑤ a. もらいました　　　b. あげました

1. マリアさんとチンさんが話しています。だれがだれに机をもらいましたか。そしてだれにあげましたか。（　　）に名前を書いてください。

（　　　　　　）（　　　　　　）

チンさん　　　マリアさん

2. だれが机を買いましたか。

　（　　　　　　　　　　　　　　　）が机を買いました。

　　きのうはマリアさんのたんじょうびでした。

わたしはマリアさん（　　　）テレフォンカード（　　　）

＿＿＿＿＿＿＿＿。リンさんもチンさんもマリアさん（　　　）

テレフォンカード（　　　）＿＿＿＿＿＿＿。

マリアさん（　　　）テレフォンカード（　　　）たくさん

＿＿＿＿＿＿＿。マリアさんは、夜、そのカードで

国のかぞく（　　　）電話（　　　）＿＿＿＿＿＿＿＿。

何をしに行きますか。

 1. 会話を聞いて例のように正しい答えを選んでください。

例　ⓐ　　　b　　　c

① a　　　b　　　c

② a　　　b　　　c

③ a　　　b　　　c

④ a　　　b　　　c

⑤ a　　　b　　　c

2. 短い会話を聞いてください。次にa・b・cの文を聞いて、会話の内容と
合っているものを一つ選んでください。

例　a　　　ⓑ　　　c

① a　　　b　　　c

② a　　　b　　　c

③ a　　　b　　　c

会話を聞いて質問の答えを選んでください。

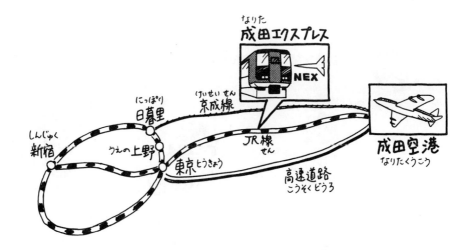

① a　　　　b　　　　c

② a　　　　b　　　　c

③ a　　　　b　　　　c

わたしはいま、東京（　　　）＿＿＿＿＿＿＿。

ことし（　　）4月（　　）コンピューター（　　　）

勉強（　　　）＿＿＿＿＿＿。毎朝8時（　　　）うち

（　　　）＿＿＿＿＿＿。バス（　　　）大学（　　　）

＿＿＿＿＿＿。9時（　　　）研究室（　　　）

＿＿＿＿＿＿。毎日＿＿＿＿＿＿です。

10. 何をしに行きますか。……

この旅館は建物が古いです。

 1. 会話を聞いて、例のように絵を選んでください。

例 (b) ①(　　) ②(　　) ③(　　) ④(　　) ⑤(　　)

2. クイズをしましょう。わたしは何ですか。例のように選んでください。

例 (a) ①(　　) ②(　　) ③(　　)

ここはどんな旅館ですか。会話を聞いて、例のように線を書いてくだ
さい。

このりょかんは

- たてものが・
- にわが　・
- へや が・
- りょうりが・
- ねだんが・

- おおいです。
- きれいです。
- ふるいです。例
- ひろいです。
- やすいです。
- とおいです。
- おいしいです。
- しずかです。

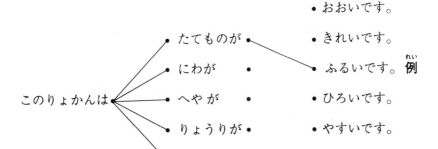

リンさんはまだ日本語（　　　）よく＿＿＿＿＿から、

毎日、日本語（　　　）＿＿＿＿＿。日本語のじゅぎょうは

3時（　　　）＿＿＿＿＿。それから、レストラン（　　　）

アルバイト（　　　）＿＿＿＿＿。1週間（　　　）3回、

5時（　　　）9時（　　　）＿＿＿＿＿。

この店（　　　）料理（　　　）＿＿＿＿＿ですから、

いつもお客（　　　）いっぱいです。

缶コーヒーは甘いですから、あまり飲みたくないです。

Tape 2-A CD 2-3

 1. 例のように選んでください。そのあとで確かめてください。

例 a. かいます   ⓑ かいません

① a. 学校へいきます   b. 学校を休みます

② a. 見ます   b. 見ません

③ a. ここがすきです   b. ここはきらいです

④ a. ＣＤをあげたいです   b. はなをあげたいです

⑤ a. ひこうきで行きます   b. しんかんせんで行きます

2. 次の会話を聞いて、例のようにジョンさんの気持ちを「〜たい」か「〜たくない」を使って書いてください。

例 わたしは やさしい人と ＿＿けっこんしたいです＿＿ 。

① わたしは ウーロンちゃが ＿＿＿＿＿＿＿＿＿＿ 。

② わたしは コンピュータが ＿＿＿＿＿＿＿＿＿＿ 。

③ わたしは スキーに ＿＿＿＿＿＿＿＿＿＿ 。

④ わたしは テニスと買い物とデートは ＿＿＿＿＿＿＿＿ が、

せんたくは ＿＿＿＿＿＿＿＿＿ 。

男の人はどんなコーヒーが好きですか。
会話を聞いて正しい答えを一つ選んでください。

[a   b   c]

① きょうは土曜日ですから、＿＿＿＿＿＿＿＿＿＿＿＿＿＿＿。

② あたまがいたいですから、＿＿＿＿＿＿＿＿＿＿＿＿＿。

③ まだ ＿＿＿＿＿＿＿＿＿＿＿＿＿＿。

④ 日本の ＿＿＿＿＿＿＿＿＿＿＿＿＿＿。

12. 缶コーヒーは甘いですから、あまり飲みたくないです。…

新宿はどんな町でしたか。

Tape 2-A CD 2-4

1. 例のように正しいほうを選んでください。そのあとで、確かめてください。

例 ⓐ たのしかったです　　b．たのしくなかったです

① a．おもしろかったです　　b．おもしろくなかったです

② a．むずかしかったです　　b．やさしかったです

③ a．しずかでした　　　　　b．うるさかったです

④ a．すずしいですね　　　　b．あたたかいですね

2. 短い会話を聞いてください。そのあとで文を言いますから、会話の内容と合っていたら○、ちがっていたら×をつけてください。

例 （　×　）

① （　　　）

② （　　　）

③ （　　　）

④ （　　　）

1. 男の人と女の人が東京の都庁へ行きました。
二人の会話を聞いて、１９７０年ごろの
新宿の絵を選んでください。

a **b** **c**

2. もう一度会話を聞いてください。次のa・b・c・dの文を聞いて、
会話の内容に合っているものを一つ選んでください。

[a   b   c   d]

2月15日	2月16日	2月17日
☀	⛄	☀
１１℃	３℃	９℃

２月１５日はあまり＿＿＿＿＿＿です。天気も＿＿＿＿＿です。

２月１６日は雪でした。たいへん＿＿＿＿＿＿です。

２月１７日はまた、＿＿＿＿＿＿＿なりました。少し＿＿＿＿＿

なりました。

13. 新宿はどんな町でしたか。……

日本とタイでは どちらが大きいですか。

Tape 2-B CD 2-5

 1. 会話の内容と合っている絵に○、ちがうものに×をつけてください。

例 (×)　　①（　　）　　②（　　）

③（　　）　　④（　　）　　⑤（　　）

2. 例のように正しい会話を選んでください。

例 ⓐ　　　　　b

①　a　　　　　b

②　a　　　　　b

③　a　　　　　b

④　a　　　　　b

3. 短い会話を聞いてください、女の人の答えをよく聞いて、会話と
合っているものを選んでください。

例　a　　　　　ⓑ

①　a　　　　　b

②　a　　　　　b

③　a　　　　　b

1. 日本とタイではどちらが大きいですか。
   正しいほうに〇をつけてください。

[a   b]

2. 例のように質問の答えを
   選んでください。

例 ⟨中国⟩   日本

① 日本   マレーシア

② フィリピン   マレーシア

③ マレーシア   タイ

日本には 北海道, 本州, 九州, 四国の＿＿＿＿＿＿の＿＿

＿＿＿＿島があります。

＿＿＿＿＿島も＿＿＿＿＿あります。

＿＿＿＿＿大きい 島は 本州です。

北海道と 九州では

北海道の＿＿＿＿が＿＿＿＿

大きいです。四国は 九州ほど

＿＿＿＿＿＿＿＿＿＿。

14. 日本とタイではどちらが大きいですか。

タンさんは荷をしていますか。

 1. 例のように質問の答えを完成してください。そのあとで確かめて
　　ください。

例1　まだです。いま、<u>つくっています</u>　　　。

例2　いいえ。いま、　<u>　しています　　</u>　　。

①　まだです。いま、_____。

②　いいえ。いま、_____。

③　いいえ。いま、_____。

④　まだです。いま、_____。

⑤　まだです。いま、_____。

2. 絵を見ながら、説明を聞いてください。次にa～eの文が説明と合って
　いたら○、ちがっていたら×をつけてください。

a（　）b（　）c（　）d（　）e（　）

1. ここは留学生会館のロビーです。マリアさんとタンさんはどの人ですか。例のように選んでください。

例 ジョンさん（ a ） マリアさん（　　　） タンさん（　　　）

2. マリアさんとタンさんは何をしていますか。書いてください。

マリア……＿＿＿＿＿＿＿＿＿＿＿＿＿＿＿＿＿＿＿＿

タン……＿＿＿＿＿＿＿＿＿＿＿＿＿＿＿＿＿＿＿＿

わたしは今、留学生教育センターで日本語を＿＿＿＿＿＿

＿＿＿＿。大学で、じゅうどうも＿＿＿＿＿＿＿＿＿＿＿。

毎日＿＿＿＿＿＿＿＿＿＿＿。先生やせんぱいが＿＿＿＿＿、

教えます。1週間に1回、土曜日には日本人の学生に韓国語を

＿＿＿＿＿＿。

15. タンさんは何をしていますか。……

16 写真をとってもいいですか。

Tape 2-B　CD

 1. 女の人はどうしますか。会話を聞いて、例のように選んでください。

例　a　　　　　ⓑ

①　a　　　　　b

②　a　　　　　b

③　a　　　　　b

④　a　　　　　b

⑤　a　　　　　b

2. 例のように＿＿＿＿に書いてください。そのあとで確かめてください。

例　ええ、　しめてください＿＿＿＿＿＿＿＿＿＿。

①　ええ、＿＿＿＿＿＿＿＿＿＿＿＿＿＿＿。

②　ええ、＿＿＿＿＿＿＿＿＿＿＿＿＿＿＿。

③　ええ、＿＿＿＿＿＿＿＿＿＿＿＿＿＿＿。

④　すみません、じゃあ、＿＿＿＿＿＿＿＿＿＿＿＿＿。

⑤　ええ、＿＿＿＿＿＿＿＿＿＿＿＿＿＿＿。

3. 男の人は何をしますか。例のように選んでください。
女の人のことばのアクセントや発音によく注意して聞いてください。

例　ⓐ　あいます

　　b．あります

　　c．あきます

①　a．ほんをかります。　　　②　a．セーターをきます。

　　b．かんじをかきます。　　　　b．かみをきります。

　　c．とけいをかいます。　　　　c．きょうしつへきます。

③　a．えきへいきます。　　　④　a．タクシーをよびます。

　　b．なまえをいいます。　　　　b．てがみをよみます。

　　c．ここにいます。　　　　　c．くすりをのみます。

小学生と先生の会話を聞いて、a～eの文が会話の内容と合って
いたら○、ちがっていたら×をつけてください。はじめにa～e
の文を読んでください。

a.（　　　　）お城の中で走ってもいいです。

b.（　　　　）友達を押してはいけません。

c.（　　　　）お城の外の写真をとってはいけません。

d.（　　　　）お城の中で大きな声で話してもいいです。

e.（　　　　）お城のいちばん上に登ってもいいです。

① a.シャツを＿＿＿＿＿＿＿ください。

　 b.りんごを＿＿＿＿＿＿＿ください。

② a.えんぴつを＿＿＿＿＿＿＿ください。

　 b.わたしの本を＿＿＿＿＿＿＿ください。

③ a.さとうを＿＿＿＿＿＿＿ください。

　 b.あちらの道を＿＿＿＿＿＿＿ください。

④ a.あした＿＿＿＿＿＿＿ください。

　 b.もう一度＿＿＿＿＿＿＿ください。

⑤ a.たばこを＿＿＿＿＿＿＿います。

　 b.さんぽを＿＿＿＿＿＿＿います。

16.写真をとってもいいですか。……

みんな来ています。

 1. 短い会話を聞いてください。次にa・bの文を聞いて、会話の内容に合っているほうをえらんでください。

例　a　　　ⓑ

① a　　　　b　　　　　② a　　　　b

③ a　　　　b　　　　　④ a　　　　b

⑤ a　　　　b

2. 文を途中まで言います。正しいほうを選んで、文を完成させてください。そのあとで確かめてください。

例　ⓐ けしてください　　　b．つけてください

① a．けしてください　　　b．しめてください

② a．あけてください　　　b．しめてください

③ a．あけてください　　　b．しめてください

④ a．だしてください　　　b．でてください

⑤ a．すわってください　　　b．なおしてください

⑥ a．そうじしてください　　　b．あらってください

3. これから女の人は何をしますか。例のように選んでください。

例　ⓐ　　　b

① a　　　b　　　　　② a　　　　b

③ a　　　b　　　　　④ a　　　　b

⑤ a　　　b

どうして田中さんのへやは、いつもよりきれいですか。a・b・c
の中から一つ選んでください。

a．お母さんが来ますから。

b．田中さんのたんじょう日ですから。

c．ランさんのたんじょう日ですから。

　　きょうは朝はいい天気でしたが、午後から＿＿＿＿＿＿＿＿、

雨がふってきました。わたしはかさを＿＿＿＿＿＿＿＿＿　。

それで、リンさんのじゅぎょうが終わるまで、＿＿＿＿＿＿＿。

そして、リンさんのかさに＿＿＿＿＿、＿＿＿＿＿＿＿。

わたしはリンさんと＿＿＿＿＿＿＿＿＿＿＿＿＿＿＿＿。

帰ると、＿＿＿＿＿＿＿＿＿＿＿＿＿＿。けさ、天気がよかった

ので、まどをしめないで出かけたのです。

17．みんな来ています。……

これはかぜの薬(くすり)で、
それはおなかの薬(くすり)です。

 1.どんな形容詞(けいようし)を使(つか)っていますか。例(れい)のように選(えら)んでください。

例(れい)	おおい	(おおきい)	あまい	(おもい)
①	かたい	たかい	まるい	まずい
②	やすい	やさしい	きらい	きれいな
③	さむい	せまい	きたない	よくない
④	からい	かるい	やわらかい	よわい
⑤	とおい	おおい	きびしい	さびしい

2.例(れい)のように選(えら)んでください。そのあとで確(たし)かめてください。

例(れい)	a.きたないです。	(b) きれいです。
①	a.おもいです。	b.かるいです。
②	a.ねだんもやすいです。	b.ねだんもたかいです。
③	a.さむいです。	b.さむくないです。
④	a.ぶっかもやすいです。	b.ぶっかもたかいです。

3.短(みじか)い会話(かいわ)を聞(き)いてください。次(つぎ)にa.b.cの文(ぶん)を聞(き)いて、会話(かいわ)の内容(ないよう)と
合(あ)っているものを一(ひと)つ選(えら)んでください。

例(れい)	a	b	(c)
①	a	b	c
②	a	b	c
③	a	b	c

1. リーさんは体の調子が悪くて、お医者さんに行きました。リーさんはどこが悪いですか。（　　）に○を書いてください。

a. （　　）頭がいたいです。

b. （　　）のどがいたいです。

c. （　　）おなかがいたいです。

d. （　　）熱があります。

e. （　　）あせがでます。

f. （　　）せきがでます。

2. リーさんはどんな薬のふくろをもらいましたか。もう一度会話を聞いて、選んでください。

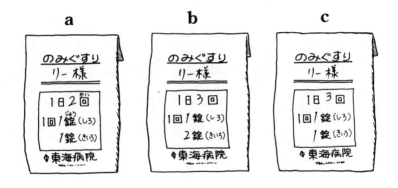

a
```
のみぐすり
リー様

1日2回
1回1錠 (しろ)
1錠 (きいろ)

東海病院
```

b
```
のみぐすり
リー様

1日3回
1回1錠 (しろ)
2錠 (きいろ)

東海病院
```

c
```
のみぐすり
リー様

1日3回
1回1錠 (しろ)
1錠 (きいろ)

東海病院
```

夏休みに北海道の札幌へホームステイに行きました。札幌は

北海道で＿＿＿＿＿＿＿＿＿＿＿、人口は１６０万人ぐらいです。

夏は＿＿＿＿＿＿、とても＿＿＿＿＿＿＿＿。ホストファミリー

はみなさん＿＿＿＿＿＿、ホームステイはほんとうに＿＿＿＿＿

＿＿＿＿＿。

18. これはかぜの薬で、それはおなかの薬です。…

ラーメンを10ぱい 食べることができます。

Tape 3-A CD 3-3

 1. 例のように、□の中から適当な動詞を選んで、文を完成してください。そのあとで確かめてください。

りょこうする　あらう　きく　くる　およぐ　かく　ひく　きる

例　すみません。わたしはピアノを＿＿＿ひく＿＿＿
- a. ことができます。
- ⓑ ことができません。

① ええ、わかりますよ。1000ぐらい＿＿＿＿＿
- a. ことができます。
- b. ことができません。

② ええ、泳ぎたいですが、でも＿＿＿＿＿＿＿
- a. ことができます。
- b. ことができません。

③ これですか。これはとても便利なきっぷですよ。これで日本中を

＿＿＿＿＿＿
- a. ことができます。
- b. ことができません。

④ いいえ、わたしは着物を＿＿＿＿＿＿
- a. ことができます。
- b. ことができません。

⑤ ええ、このせんたくきでシャツを100まい

＿＿＿＿＿＿
- a. ことができます。
- b. ことができません。

2. 会話を聞いて、例のように書いてください。

例＿＿＿＿ねる＿＿＿＿＿＿　まえに歯をみがきます。

①＿＿＿＿＿＿＿＿＿＿＿　まえに料理をならいました。

②＿＿＿＿＿＿＿＿＿＿＿　まえにテープを聞きます。

③＿＿＿＿＿＿＿＿＿＿＿　まえに図書館に行きます。

④＿＿＿＿＿＿＿＿＿＿＿　まえに宿題をします。

⑤＿＿＿＿＿＿＿＿＿＿＿　まえに電話します。

４人の人はそれぞれどんなことができますか。会話を聞いて答えを書いてください。

マリア…＿＿＿＿＿＿＿＿＿＿＿＿＿＿＿ことができます。

ソン…＿＿＿＿＿＿＿＿＿＿＿＿＿＿＿ことができます。

ワン…＿＿＿＿＿＿＿＿＿＿＿＿＿＿＿ことができます。

キム…＿＿＿＿＿＿＿＿＿＿＿＿＿＿＿ことができます。

わたしのしゅみはおかしを＿＿＿＿＿＿。いろいろな

ケーキを＿＿＿＿＿＿。夢はフランスへおかしの勉強に

＿＿＿＿＿＿。今はフランス語を＿＿＿＿＿＿＿が、

フランスへ＿＿＿＿＿＿に上手になりたいです。

銀行へ行かなければなりません。

Tape 3-A CD 3-

1. 男の人はどうしますか。例のようにa・b・cの中から一つ
選んで○をつけてください。

例 ⓐ かきません　　b . かいます　　　c . かいません

① a . だしません　　b . たちます　　　c . たちません

② a . おりません　　b . おきます　　　c . おきません

③ a . すいません　　b . すみます　　　c . すみません

④ a . きません　　　b . きります　　　c . きりません

⑤ a . かしません　　b . かえします　　c . かえしません

⑥ a . つくりません　b . つけます　　　c . つけません

2. 短い会話を聞いて、その会話の内容と合っている絵を選んでください。

例 (a) ① (　　) ② (　　) ③ (　　) ④ (　　) ⑤ (　　) ⑥ (　　)

妹がお姉さんと話しています。お姉さんは毎日どんなことをしなければなりませんか。会話の内容と合っているものに○をつけてください。

a （　　　）

b （　　　）

c （　　　）

d （　　　）

e （　　　）

f （　　　）

g （　　　）

文を途中まで言います。次にどんなことばが続くか考えて、動詞を「〜なければなりません」「〜なくてもいいです」「〜ないでください」の形にして書いてください。

例　学校へ　＿いかなくてもいいです＿＿＿＿＿＿。

① この薬は ＿＿＿＿＿＿＿＿＿＿＿＿＿＿＿＿。

② かぎを ＿＿＿＿＿＿＿＿＿＿＿＿＿＿＿＿。

③ 車を ＿＿＿＿＿＿＿＿＿＿＿＿＿＿＿＿＿。

④ アルバイトを ＿＿＿＿＿＿＿＿＿＿＿＿＿＿。

スキーをしたことが ありますか。

1. 短い会話を聞いてください。次にa・bの文を聞いて、会話の内容に合っているほうを選んでください。

例 ⓐ　　b

① a　　b

② a　　b

③ a　　b

④ a　　b

⑤ a　　b

⑥ a　　b

2. 会話を聞いて、例のように絵を選んでください。

例 (a)　①(　)　②(　)　③(　)

　　　　　④(　)　⑤(　)　⑥(　)

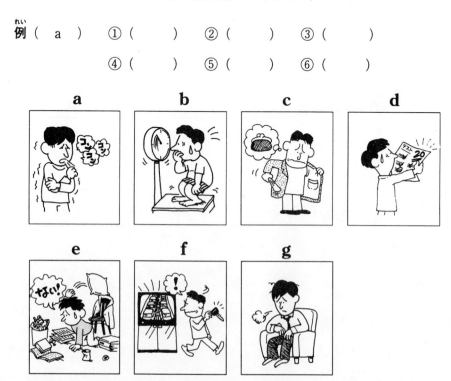

女の人と男の人はスキーをしたことがありますか。
会話を聞いて正しいものに〇をつけてください。

① 女の人はスキーを

    a. したことがありません。
    b. 一度したことがあります。
    c. 何度もしたことがあります。

② 男の人はスキーを

    a. したことがありません。
    b. 一度したことがあります。
    c. 何度もしたことがあります。

③ 女の人は雪を

    a. 見たことがあります。
    b. 見たことがありません。

④ 男の人は雪を

    a. 見たことがあります。
    b. 見たことがありません。

① 1週間まえに＿＿＿＿＿＿＿＿＿＿です。

② あしたは6時に出発しますから、＿＿＿＿＿＿＿＿です。

③ 食事のあとで、すぐ＿＿＿＿＿＿＿＿＿＿＿です。

④ この薬を飲んだあとで、＿＿＿＿＿＿＿＿＿＿＿＿

です。

⑤ かぜですから、2、3日＿＿＿＿＿＿＿＿＿＿です。

どこかへ行った？

Tape 3-B CD 3-6

1. 女の人と男の人とどちらがていねいに話していますか。ていねいな
   ほうに○をつけてください。

例	①	②	③	④	⑤	⑥
男 (女)	男 女	男 女	男 女	男 女	男 女	男 女

2. 短い会話を聞いてください。そのあとで質問を聞いて、正しい答えを
   選んでください。

例 (a)　　　b

① a　　　b

② a　　　b

③ a　　　b

④ a　　　b

⑤ a　　　b

はじめに下のラタナさんの日記を読んでください。それから、ラタナさんとせんぱいのチャンさんの会話を2回聞いてください。そして、例のように普通体で日記を完成してください。

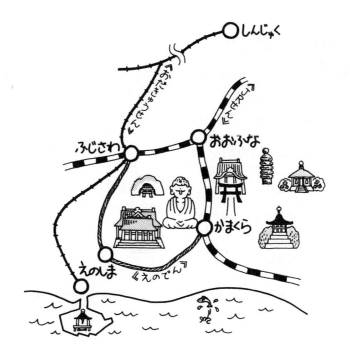

ラタナさんの日記

6月20日（にちようび）　はれ

毎日雨がふっていたが、きょうはいい天気　**例**　だった　。

田中さんと二人で鎌倉へ＿＿＿＿＿＿。新宿から小田急線で、

藤沢まで＿＿＿＿＿。そこから江ノ電に＿＿＿＿＿。

窓からきれいな海が＿＿＿＿＿。藤沢から、鎌倉までは

30分ぐらい＿＿＿＿＿。

鎌倉は古い町＿＿＿＿。1180年から150年間、日本の

中心＿＿＿＿＿。古いお寺や大仏もある。

きょうはほんとうに＿＿＿＿＿＿＿。

 1. 女の人は何と言いましたか。会話を聞いて、答えを書いてください。

例 今晩9時に___でんわする___と言いました。

① おなかが痛いから_____と言いました。

② あしたは_____から、あそびに_____

と言いました。

③ あの人は_____と言いました。

④ かばんがあるから、まだ_____と言いました。

**2. 次のような場合、日本語で何と言いますか。適当なほうに○を書いて
ください。**

例 ⓐ　　　　　b

① a　　　　　b

② a　　　　　b

③ a　　　　　b

④ a　　　　　b

⑤ a　　　　　b

はじめにヤンさんのメモを読んでください。それから、会話を聞いて
正しいメモを選んでください。

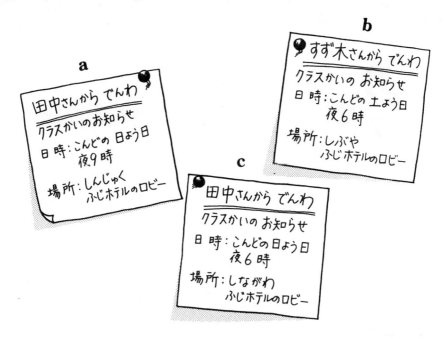

書きとりはむずかしい。

いつもテープに「＿＿＿＿＿＿＿＿＿＿」と言いたくなる。

はじめのふたつ、みっつのことばは＿＿＿＿＿＿＿＿＿が、

あとはすぐ忘れる。ほんとうに困る。

けれども先生は書きとりは毎日＿＿＿＿＿＿＿＿＿

と言う。わたしもそう思うが、なかなか好きになることができない。

何か＿＿＿＿＿＿＿＿＿＿か。

いくつまで
生きるでしょうか。

Tape 3-B CD 3-8

1. 適当な会話を選んでください。

例　a　　ⓑ

① a　　b

② a　　b

③ a　　b

④ a　　b

⑤ a　　b

1. 次の会話を聞いてください。山中さんの手はどれでしょう。

a　　　　　　**b**　　　　　　**c**

2. 男の人は山中さんの手を見て、何と言っていますか。a・b・c・dの
文の中で会話の内容に合っているものに○をつけてください。

[a   b   c   d]

こんばんは。全国の天気です。きょうは、北海道から九州まで

よくはれて、＿＿＿＿＿＿＿＿＿＿＿＿＿＿＿＿＿が、明日は西の方

から＿＿＿＿＿＿＿＿＿＿＿。九州は＿＿＿＿＿＿＿＿＿＿、

大阪も昼ごろには＿＿＿＿＿＿＿＿＿＿＿＿＿＿＿＿。

東京から北は＿＿＿＿＿＿＿＿＿＿＿＿＿＿＿＿＿。

24. いくつまで生きるでしょうか。…

 **25**

地震のとき、恐かったです。

Tape 3-B CD 3-9

 次の会話で女の人は何と言っていますか。例のように選んでください。

例	a	ⓑ
①	a	b
②	a	b
③	a	b
④	a	b
⑤	a	b
⑥	a	b

会話を聞いて____に書いてください。

① 男の人は_____とき、まだ寝ていました。

② _____あいだは、立つことができませんでした。

③ 火事が起きたとき、_____うちに逃げました。

④ _____ あいだは、

とてもこまりました。

　　きょう、わたしは成田へわたしの国の友達を迎えに行きました。
車で行きました。友達は午後5時に成田に着きます。

　　道路は_____すいていました。　ところが、だんだん

こんできて、ぜんぜん進まなくなりました。

_____、わたしはとても心配でした。友達が____

_____、わたしがいないと友達はきっとこまるでしょう。

友達が成田に_____、わたしがさきに成田に

着かなければなりません。

_____、わたしは本当にほっとしました。

1 この女の人はだれですか。

Tape 1-A CD 1-1

1. これはだれのですか。会話を聞いて、例のように線を書いてください。

女：このボールペンは誰のですか。

男：それはヤンさんのです。

女：このえんぴつもヤンさんのですか。

男：いいえ、それはわたしのです。

女：これもあなたのノートですね。

男：いいえ、それはあなたのですよ。

女：あっ、そうですね。すみません。

男：はい、これも忘れ物ですよ。

女：えっ、あ、この辞書は、わたしのではありません。ヤンさんのです。

2. 例のように正しい会話を選んでください。

例　a．A：あの人はリーさんですか。

　　　　B：はい、リーさんです。

　　b．A：あの人はリーさんですか。

　　　　B：いいえ、リーさんです。

① a．A：あの人はだれですか。

　　　　B：いいえ、リーさんです。

　　b．A：あの人はだれですか。

　　　　B：リーさんです。

② a．A：リーさんは学生ですか。

　　　　B：はい、リーさんです。

　　b．A：リーさんは学生ですか。

　　　　Ｂ：はい、そうです。

③　ａ．Ａ：リーさんは、中国人ですか、韓国人ですか。

　　　　Ｂ：いいえ、韓国人ではありません。

　　ｂ．Ａ：リーさんは、中国人ですか、韓国人ですか。

　　　　Ｂ：中国人です。

④　ａ．Ａ：リーさんは中国人ですね。

　　　　Ｂ：ええ、そうです。

　　　　Ａ：あの人も中国人ですか。

　　　　Ｂ：いいえ、あの人も日本人です。

　　ｂ．Ａ：リーさんは中国人ですね。

　　　　Ｂ：ええ、そうです。

　　　　Ａ：あの人も中国人ですか。

　　　　Ｂ：いいえ、あの人は日本人です。

⑤　ａ．Ａ：このかばんは、だれのですか。

　　　　Ｂ：リーさんのです。

　　ｂ．Ａ：このかばんは、だれのですか。

　　　　Ｂ：リーさんです。

⑥　ａ．Ａ：これはリーさんの本ですか。

　　　　Ｂ：いいえ、本ではありません。

　　ｂ．Ａ：これはリーさんの本ですか。

　　　　Ｂ：いいえ、リーさんのではありません。

⑦　ａ．Ａ：リーさんのかさはどれですか。

　　　　Ｂ：それはリーさんのです。

　　ｂ．Ａ：リーさんのかさはどれですか。

　　　　Ｂ：リーさんのはそれです。

⑧　ａ．Ａ：山川先生は何の先生ですか。
　　　　Ｂ：日本語の先生です。

　　ｂ．Ａ：山川先生は何の先生ですか。
　　　　Ｂ：日本人の先生です。

先生の写真はどれですか。会話を聞いて、先生の写真を選んでください。

男：マリアさん、この女の人はだれですか。

女：どれですか。

男：この人、この女の人です。

女：ああ、それは友達の鈴木さんです。

男：ああ、そうですか。鈴木さんですか。鈴木さんは大学生ですか。

女：ええ、大学の３年生です。

男：そうですか。じゃあ、この男の人は？　この人はアメリカ人ですか。

女：いいえ、フランス人です。留学生のピエールさんです。

男：そうですか。じゃあ、この男の人は？　この人も学生ですか。

女：いいえ、その人はわたしの日本語の先生ですよ。

男：あっ、そうですか。

2 これは一ついくらですか。

1. 会話を聞いて、例のように会話の内容と合っている絵を選んでください。

例　A：このりんごはいくらですか。

　　B：それはひとつ１００円です。

　　A：じゃ、それをください。

① A：この花を５本ください。

　　B：はい、５本ですね。１１００円です。

② A：このみかんを１キロください。

　　B：はい。３００円です。

③ A：この卵はいくらですか。

　　B：それは１０個、２４０円です。

　　A：じゃ、それをお願いします。

④ A：この自転車は２万円ですか。

　　B：いいえ、１万８千円です。

　　A：じゃ、２万円。

　　B：はい。２千円のおつりです。

2. 助数詞に注意して会話を聞いて、例のように正しい絵を選んでください。

例　A：これは１本いくらですか。

　　B：それは、２００円です。

① A：すみません、これは、１台いくらですか。

　　B：それは２５万８千円です。

② A：あの、これはいくらですか。

　　B：はい、これは５枚で３６００円です。

③ A：それ、１００グラムいくらですか。

　　B：これですか。これは１００グラム２３０円です。

　　A：じゃ、それを２００グラムください。

④ A：これを五つください。

　　B：はい、五つですね。一つ、二つ、三つ、四つ、五つ。

　　はい、どうぞ。４００円です。

駅のキヨスクでの会話です。よく聞いて、お客さんが買った物の値段を書いてください。

客A：すみません、これは一ついくらですか。

店員：あ、それは１００円です。

客B：ビールください。

店員：はい、３８０円です。はい、おつり２０円。

客C：すみません、これ１枚ください。

店員：はい。５００円です。

客D：あの、かさありますか。

店員：はい、ありますよ。これが１０００円で、それが３００円です。

客D：じゃ、それ、１本ください。

店員：はい。１０００円です。ありがとうございました。

✊ **1. 男の人はいくら払いましたか。例のように答えを書いてください。**

れい
例　男：ボールペンをください。

　　女：はい、これは1本90円、それは200円です。

　　男：じゃあ、200円のを1本ください。

　　女：はい、200円のですね。ありがとうございます。

① 男：このタオルをください。いくらですか。

　　女：それは、3枚800円です。これは1枚250円です。

　　男：じゃあ、1枚250円のを4枚ください。

　　女：はい、かしこまりました。1000円いただきます。

② 男：ノートをください。

　　女：はい、これは1冊70円、それは5冊300円です。

　　男：じゃあ、1冊70円のを8冊ください。それから、この消しゴムを一つください。

　　女：はい、かしこまりました。消しゴムは50円ですから610円です。

③ 男：りんごをください。

　　女：かしこまりました。これは一つ200円、それは150円です。

　　男：じゃあ、その150円のを六つください。

　　女：はい、900円です。

　　男：じゃあ、1000円。

　　女：はい、100円のおつりです。まいどありがとうございます。

2. 例のように正しいほうに○をつけてください。

れい
例　A：このみかんを1キロください。

　　B：えっ、8キロですか。

　　A：いいえ、1キロです。

① A：このりんごを六つください。

　　B：えっ、いくつですか。三つですか。

　　A：いいえ、六つです。

② Ａ：この辞書<ruby>辞書<rt>じしょ</rt></ruby>はいくらですか。

    Ｂ：<ruby>２９８０円<rt>にせんきゅうひゃくはちじゅうえん</rt></ruby>です。

    Ａ：はい、<ruby>１９８０円<rt>せんきゅうひゃくはちじゅうえん</rt></ruby>ね。

    Ｂ：あの、<ruby>２９８０円<rt>にせんきゅうひゃくはちじゅうえん</rt></ruby>です。

    Ａ：あっ、すみません。

③ Ａ：これ、<ruby>３０００円<rt>さんぜんえん</rt></ruby>？

    Ｂ：ちがいますよ。<ruby>３００００円<rt>さんまんえん</rt></ruby>ですよ。

    Ａ：えっ、<ruby>３００００円<rt>さんまんえん</rt></ruby>？

④ Ａ：このおにぎりを<ruby>八<rt>やっ</rt></ruby>つください。

    Ｂ：はい。どうぞ。

    Ａ：あの、<ruby>四<rt>よっ</rt></ruby>つではありませんよ。<ruby>八<rt>やっ</rt></ruby>つですよ。

    Ｂ：ああ、<ruby>八<rt>やっ</rt></ruby>つですか。

⑤ Ａ：このビデオカメラ、いくらですか。

    Ｂ：<ruby>9万８９０７円<rt>きゅうまんはっせんきゅうひゃくななえん</rt></ruby>です。

    Ａ：えっ、<ruby>10万８９０７円<rt>じゅうまんはっせんきゅうひゃくななえん</rt></ruby>ですか。

    Ｂ：いいえ、<ruby>9万８９０７円<rt>きゅうまんはっせんきゅうひゃくななえん</rt></ruby>ですよ。

 <ruby>会話<rt>かいわ</rt></ruby>を<ruby>聞<rt>き</rt></ruby>いて、レシートに<ruby>書<rt>か</rt></ruby>いてください。

<ruby>店員<rt>てんいん</rt></ruby>：いらっしゃいませ。

リー：こんにちは。みかんをください。これはいくらですか。

<ruby>店員<rt>てんいん</rt></ruby>：ええと、それは<ruby>１<rt>いち</rt></ruby>キロ<ruby>２００円<rt>にひゃくえん</rt></ruby>、これは<ruby>３００円<rt>さんびゃくえん</rt></ruby>です。

リー：じゃあ、その<ruby>３００円<rt>さんびゃくえん</rt></ruby>のを<ruby>２<rt>に</rt></ruby>キロください。

<ruby>店員<rt>てんいん</rt></ruby>：はい、かしこまりました。

リー：すみません、じゃ、このりんごはいくらですか。

<ruby>店員<rt>てんいん</rt></ruby>：それは<ruby>一<rt>ひと</rt></ruby>つ<ruby>１００円<rt>ひゃくえん</rt></ruby>です。

リー：じゃあ、それも<ruby>四<rt>よっ</rt></ruby>つください。

<ruby>店員<rt>てんいん</rt></ruby>：はい。

<ruby>店員<rt>てんいん</rt></ruby>：はい。おまたせしました。みかんが<ruby>６００円<rt>ろっぴゃくえん</rt></ruby>、りんごが<ruby>４００円<rt>よんひゃくえん</rt></ruby>でちょうど<ruby>１０００円<rt>せんえん</rt></ruby>
      <ruby>消費税<rt>しょうひぜい</rt></ruby>が<ruby>５０円<rt>ごじゅうえん</rt></ruby>、<ruby>全部<rt>ぜんぶ</rt></ruby>で<ruby>１０５０円<rt>せんごじゅうえん</rt></ruby>です。

リー：はい、それじゃ、<ruby>１１００円<rt>せんひゃくえん</rt></ruby>。

<ruby>店員<rt>てんいん</rt></ruby>：はい、おつりと、レシートです。どうもありがとうございました。

1. 絵と合っている会話に○、ちがうものに✕をつけてください。

例　A：何時ですか。
　　B：9時です。

① A：今、何時ですか。
　　B：今、1時10分前です。

② A：何時ですか。
　　B：11時5分すぎです。

③ A：今、何時ですか。
　　B：4時半です。

④ A：すみません、今、何時ですか。
　　B：ええと、今、7時21分です。
　　A：じゃ、次のバスは7時24分ですね。

2. カレンダーと合っている会話に○、ちがうものに✕をつけてください。
今日は4月19日、金曜日です。

例　A：あしたは日曜日ですか。
　　B：はい、あしたは日曜日です。

① A：あしたは何日ですか。
　　B：あしたは4月20日です。

② A：今月は何月ですか。
　　B：5月です。

③ A：きのうは何曜日でしたか。
　　B：きのうは土曜日でした。

④ A：先月は何月でしたか。
　　B：3月でした。

⑤ A：来週の火曜日は何日ですか。

B：来週の火曜日は２３日です。

⑥　A：あさっては何曜日ですか。

　　B：あさっては水曜日です。

3．図書館の案内を見て、正しい会話に○、正しくないものに✕をつけてください。

例　A：図書館は何時からですか。

　　B：６時３０分からです。

①　A：月曜日はお休みですか。

　　B：いいえ、お休みではありません。お休みは日曜日です。

②　A：日曜日は何時から何時までですか。

　　B：朝、９時半から午後４時までです。

③　A：火曜日も午後４時までですか。

　　B：いいえ、火曜日は午後５時までです。

　1．まり子さんの誕生日はいつですか。カレンダーを見ながら会話を聞いて答えてください。

男：ええと、今日は何日ですか。

女：今日は４月２８日ですよ。

男：ええっ、それじゃ来週は５月ですね。

女：あっ、来週の木曜日はわたしの誕生日です。

男：へえ、まり子さんの誕生日は「子どもの日」ですね。

女：ええ。来週から二十歳です。

男：そうですか。もう子どもじゃなくて、おとなですね。おめでとう。

2．もう一度会話を聞いて、質問に答えてください。はじめに少し質問を読んでください。

　　では、聞いてください。

ポストはどこですか。

1. 会話を聞いて、絵と合っているものに〇、ちがうものに×をつけてください。

例　A：いすはどこにありますか。

　　B：いすは本だなの前にあります。

①　A：電話はどこにありますか。

　　B：電話はいすの上にあります。

②　A：テーブルはどこにありますか。

　　B：テーブルはドアのそばにあります。

③　A：犬はどこにいますか。

　　B：犬はいすの下にいます。

④　A：ドアはどこにありますか。

　　B：ドアは窓の右にあります。

⑤　A：花はどこにありますか。

　　B：花はテレビの上にあります。

⑥　A：テレビはどこにありますか。

　　B：テレビは本だなといすの間にあります。

2. 会話を聞いて例のように選んでください。その後で確かめてください。

例　A：すみません。郵便局はどこでしょうか。

　　B：ああ、郵便局ですか。駅の前に（　♪　）

　　　　〈郵便局は駅の前にあります。〉

①　A：すみません。電話はどこでしょうか。

　　B：電話？電話はその階段の上に（　♪　）

　　　　〈電話はその階段の上にあります。〉

②　A：あの、山田先生はどこでしょうか。

　　B：山田先生ですか。先生は2階の事務室に（　♪　）

　　　　〈先生は2階の事務室にいます。〉

③　A：すみません。テープレコーダーはどこですか。

B：テープレコーダーですか。ええと、テープレコーダーはあそこに（　♪　）

〈テープレコーダーはあそこにあります。〉

④　A：あの、タンさんはいませんか。

　　B：タンさんですか。タンさんは今、食堂に（　♪　）

〈タンさんは今、食堂にいます。〉

⑤　A：すみません。トイレはどこでしょうか。

　　B：トイレはあの事務室の左に（　♪　）

〈トイレはあの事務室の左にあります。〉

会話を聞いて、例のように、選んでください。

例　ジョンさんのかばんはどれですか。

　　A：すみません。ジョンさんのかばんはどこにありますか。

　　B：えっ、ジョンさんのかばんですか。ええと、あそこにありますよ。

　　A：どこですか。

　　B：あそこですよ。机の上にあります。

　　A：黒板の前の机ですか。

　　B：いいえ、窓のそばの机です。

　　A：ああ、あれですか。ありがとう。

①　マリアさんはどの人ですか。

　　A：ねえ、ねえ、マリアさんはどの人ですか。

　　B：マリアさん？　マリアさんはあの人ですよ。

　　A：えっ、どの人ですか。あそこのドアの前ですか。

　　B：いいえ、あの人はアンナさんです。あの時計の下ですよ。マリアさんは時計の下にいます。

　　A：ああ、わかりました。あれがマリアさんですか。

②　リーさんの猫はどこにいますか。

　　A：リーさん、リーさんの猫はどれですか。

　　B：あれです。わたしの猫は箱の中にいます。

　　A：箱の中ですか。テーブルの下の箱ですか。

　　B：いいえ、窓のそばにいすがありますね。わたしの猫はそのいすの上にいます。いすの
　　　　上の箱の中ですよ。

Ａ：ああ、あれですか。

③　タンさんのうちはどこですか。

　　Ａ：タンさん、タンさんのうちはどこですか。

　　Ｂ：あそこです。公園の前です。

　　Ａ：ええと、公園の左ですか。

　　Ｂ：いいえ、公園の前に銀行とスーパーがありますね。

　　Ａ：ええ。

　　Ｂ：銀行とスーパーの間にアパートがあります。わたしのうちは、あのアパートの2階です。

　　Ａ：ああ、そうですか。

④　ポストはどこにありますか。

　　Ａ：あの、すみません。この近くにポスト、ありませんか。

　　Ｂ：ポストですか。

　　Ａ：はい。

　　Ｂ：ええと、あそこに大きな本屋がありますね。

　　Ａ：ああ、銀行の前ですね。

　　Ｂ：ええ、あの本屋のとなりに薬屋があります。ポストは薬屋の前です。

　　Ａ：ああ、分かりました。ありがとうございました。

12時にマリアさんのアパートへ行きます。

1. 絵を見てください。リーさんは今、学校にいます。a・b・cの文を聞いて、正しいもの
を選んでください。

例　a. リーさんはけさ7時に行きました。

　　b. リーさんはけさ7時に起きました。

　　c. リーさんはけさ7時に来ました。

正しい文はbですから、bに○をつけます。では始めます。

① a. リーさんは9時に学校へ行きました。

　 b. リーさんは9時に学校へ来ます。

　 c. リーさんは9時に学校へ来ました。

② a. リーさんは2時に銀行へ来ます。

　 b. リーさんは2時に銀行へ行きます。

　 c. リーさんは2時に銀行へ行きました。

③ a. リーさんは6時にアパートへ行きます。

　 b. リーさんは6時にアパートへ帰ります。

　 c. リーさんは6時にアパートへ来ます。

2. 例のように，a・b・cの中から正しい会話を選んでください。

例　a. 何時に寝ましたか。——8時間寝ました。

　　b. 何時に寝ましたか。——8時に寝ました。

　　c. 何時に寝ましたか。——8時まで寝ました。

① a. 図書館へ行きましたか。——いいえ、行きません。

　 b. 図書館へ行きましたか。——いいえ、来ませんでした。

　 c. 図書館へ行きましたか。——いいえ、行きませんでした。

② a. どこへ行きますか。——どこへ行きます。

　 b. どこへ行きますか。——駅まで行きます。

　 c. どこへ行きますか。——駅から行きます。

③ a. 一人で行きましたか。——いいえ、友達も行きました。

b．一人で行きましたか。——いいえ、友達は行きました。

　　c．一人で行きましたか。——いいえ、友達が行きました。

④　a．ちょっと休みませんか。——休みました。

　　b．ちょっと休みませんか。——休みです。

　　c．ちょっと休みませんか。——休みましょう。

⑤　a．だれが来ましたか。——川田さんと来ました。

　　b．だれが来ましたか。——川田さんは来ました。

　　c．だれが来ましたか。——川田さんが来ました。

1．これはマリアさんのスケジュールです。この表を見て、会話を聞いて答えを書いてください。今日は何曜日ですか。

　　男：マリアさん、今日の午後は授業がありますか。

　　女：ありません。

　　男：じゃあ、一緒に映画へ行きませんか。

　　女：すみません。今日の午後は図書館で勉強します。

　　男：そうですか。じゃあ、あしたの午後は？

　　女：あしたも３時からアルバイトです。日曜日はどうですか。

　　男：うん、いいですよ。じゃ、日曜日の１２時ごろマリアさんのアパートへ行きます。

　　女：はい、分かりました。それじゃ、日曜日にね。

2．スケジュールの表を見て、質問の正しい答えを例のように選んでください。

例　マリアさんはいつ美容院へ行きますか。

　　a．水曜日に行きます。　　b．日曜日に行きます。　　c．土曜日に行きます。

①　火曜日の午後にどこへ行きますか。

　　a．横浜に行きます。　　b．図書館へ行きます。　　c．病院へ行きます。

②　アルバイトは何時からですか。

　　　　ａ．1時からです。　　ｂ．4時からです。　　ｃ．3時からです。
③　月曜日の授業は何時までですか。
　　　　ａ．3時までです。　　ｂ．12時までです。　　ｃ．9時までです。
④　いつ横浜へ行きますか。
　　　　ａ．水曜日の朝、行きます。ｂ．水曜日の午後、行きます。ｃ．木曜日に行きます。

きれいですね。

Tape 1-B　CD 1-7

1. 会話を聞いて、正しい絵を選んでください。

例　田中さん、その料理はおいしいですか。——いいえ、あまりおいしくないです。

① アンナさん、その本はおもしろいですか。——ええ、とてもおもしろいです。

② 木村さん、あなたのアパートは新しいですか。——いいえ、新しくないです。とても古い

　　　　　　　　　　　　　　　　　　　　　　　　　　　　　　ですよ。

③ ジョンさん、あなたの車は高いですか。——いいえ、あまり高くないです。

④ ヤンさん、あなたの国は今、寒いですか。——ええ、とても…。

⑤ 山田さん、あなたの家は大きいですか。——いいえ、あまり…。

2. 例のように選んでください。その後で確かめてください。

例　男：休みの日にどこへ行きますか。
　　女：よく新宿へ行きます。
　　男：新宿はどんな町ですか。
　　女：とても（　♪　）。
　　　　＜新宿はとてもにぎやかな町です。＞

① 男：マリアさん、お国はどちらですか。
　　女：ブラジルです。日本から飛行機で２０時間ぐらいです。
　　男：そうですか。とても（　♪　）
　　　　＜ブラジルはとても遠いですね。＞

② 男：ラタナさんのマンションはどこですか。
　　女：わたしのマンションは駅の前です。会社まで電車で１０分です。
　　男：へえ、ラタナさんの家はずいぶん（　♪　）
　　　　＜ラタナさんの家はずいぶん便利なところにありますね。＞

③ 男：フーフー、このコーヒーはとても熱いです。そのジュースはどうですか。
　　女：（ジュースを飲む音）ああ、おいしい。このジュースはとても（　♪　）
　　　　＜このジュースはとても冷たいです。＞

④ 女：すみません。赤い靴はありますか。

男：いらっしゃいませ。お客さまの靴ですか。この靴はいかがですか。

女：そうですね。あ、痛い。これはちょっと（ ♪ ）

＜この靴はちょっと小さいですね。＞

⑤ 男：皆さん、あした、日本語の試験があります。

女：先生、どんな試験ですか。やさしいですか。

男：いや、ちょっと、（ ♪ ）

＜ちょっと難しい試験ですよ。＞

 会話を聞いて質問に答えてください。はじめに質問を読んでください。では会話を聞いてください。

男：今日のパーティーはにぎやかですね。

女：ええ、いろいろな国の人が来ていますね。

男：けい子さん、今日は着物ですか。きれいですね。

女：ええっ、わたしが？　着物が？

男：着物も、けい子さんも。本当にきれいですね。これは何ですか。

女：これ？　これはおびですよ。

男：ふうん。重くないですか。

女：ええ、ちょっと重いですね。

男：それじゃ、その白い靴下は？

女：これは靴下ではありません。たびです。

では、書いてください。

きのう、何^{なに}をしましたか。

Tape 1-B CD 1-8

1. 例^{れい}のように正^{ただ}しい答^{こた}えを選^{えら}んでください。

例^{れい}　A：きのう、テレビを見^みましたか。

　　B：はい、（　♪　）

① A：けさ、朝^{あさ}ごはんを食^たべましたか。

　　B：はい、（　♪　）

② A：きのう、新聞^{しんぶん}を読^よみましたか。

　　B：はい、（　♪　）

③ A：あした、銀行^{ぎんこう}へ行^いきますか。

　　B：いいえ、（　♪　）

④ A：きのう、本^{ほん}を買^かいましたか。

　　B：はい、（　♪　）

⑤ A：けさ、コーヒーを飲^のみましたか。

　　B：いいえ、（　♪　）

⑥ A：きのう、6時^{ろくじ}に帰^{かえ}りましたか。

　　B：はい、（　♪　）

⑦ A：今晩^{こんばん}、勉強^{べんきょう}しますか。

　　B：いいえ、（　♪　）

⑧ A：田中^{たなか}さんは、きのう来^きましたか。

　　B：はい、（　♪　）

⑨ A：きのう、田中^{たなか}さんに会^あいましたか。

　　B：いいえ、（　♪　）

⑩ A：あした、うちにいますか。

　　B：はい、（　♪　）

2. 短^{みじか}い会話^{かいわ}を聞^きいてください。次^{つぎ}にa・bの文^{ぶん}を聞^きいて、会話^{かいわ}の内容^{ないよう}に合^あっている るものを選^{えら}んでください。

例^{れい}　男^{おとこ}：リンさん、これから一緒^{いっしょ}に新宿^{しんじゅく}へ行^いきませんか。

女：いいですね、行きましょう。
　　a．女の人は新宿へ行きます。
　　b．女の人は新宿へ行きません。

① 男：リンさん、もう昼ごはんを食べましたか。

　 女：いいえ、まだです。これからです。
　　a．女の人は昼ごはんを食べました。
　　b．女の人はこれから昼ごはんを食べます。

② 男：リンさん、デパートで何を買いましたか。

　 女：何も買いませんでした。
　　a．女の人は何か買いました。
　　b．女の人は何も買いませんでした。

③ 男：アンさんは毎日テレビを見ますか。

　 女：そうですね。毎日は見ませんが、ときどき見ます。
　　a．女の人はときどきテレビを見ます。
　　b．女の人はテレビを見ません。

④ 男：アンさん、ちょっと休みましょう。コーヒーを飲みませんか。

　 女：ありがとう。でも、わたしはコーヒーは飲みません。水をください。
　　a．女の人はコーヒーを飲みます。
　　b．女の人はコーヒーを飲みません。

⑤ 男：アンさんは1日にどのくらい日本語を勉強しますか。

　 女：そうですね、3時間ぐらいです。
　　a．女の人は1日に3回ぐらい勉強します。
　　b．女の人は1日に3時間ぐらい勉強します。

 田中さんはきのう何をしましたか。はじめに絵を見ながら文を聞いてください。

　　例　図書館へ行きました。

a．本を読みました。　　　　　e．ビデオを見ました。

b．レポートを書きました。　　f．テープを聞きました。

c．洗濯をしました。　　　　　g．テニスをしました。

d．ごはんを食べました。　　　h．歌を歌いました。

田中さんはきのう何をしましたか。次の会話を聞いて、例のように選んで○を書いてください。

A：田中さん、きのう部屋にいませんでしたね。

B：ええ、きのうは図書館に行きました。

A：勉強ですか。まじめですねえ。

B：いや、図書館で映画のビデオを見ました。

A：え、ビデオ？

B：ええ、映画のビデオです。あの図書館にはおもしろいビデオがたくさんありますよ。

A：へえ、そうですか。

B：図書館の食堂で昼ごはんも食べました。それから、またビデオを見ました。

A：へえ。夜も部屋にいませんでしたね。

B：ええ、友達とカラオケに行きました。いろいろな歌をたくさん歌いました。楽しかったなあ。

A：ええ、あしたは試験がありますよ。だいじょうぶ？

だれに机をもらいましたか。

1. 次の文を聞いてください。その文と絵が合っていたら○、ちがっていたら✕をつけてください。

例　わたしはマリアさんに本をもらいます。

① わたしは山田さんにペンをもらいます。

② わたしはリーさんに靴をあげます。

③ わたしは鈴木さんに花をあげます。

④ わたしはマリアさんに時計をあげます。

⑤ わたしはリンさんにＣＤをもらいます。

2. 例のように選んでください。その後で確かめてください。

例　Ａ：おいしいおかしですね。ケーキ屋で買いましたか。

　　Ｂ：いいえ、マリアさんに（　♪　）

　　　　＜マリアさんにもらいました。＞

① Ａ：リンさんはビデオを見ますか。

　　Ｂ：ええ、見ますよ。きのうもビデオ屋でビデオを（　♪　）

　　　　＜ビデオを借りました。＞

② Ａ：リンさん、日本語がじょうずですね。どこで勉強しましたか。

　　Ｂ：国で日本人の先生に（　♪　）

　　　　＜日本人の先生に習いました。＞

③ Ａ：ジョンさん、きれいな花ですね。

　　Ｂ：今日は友達の誕生日です。この花は友達に（　♪　）

　　　　＜友達にあげます。＞

④ Ａ：ヤンさん、今日、パソコンを使いますか。

　　Ｂ：いいえ。でも今日はわたしのパソコンはありませんよ。友達に（　♪　）

　　　　＜友達に貸しました。＞

⑤ Ａ：リンさん、サッカーを見ませんか。切符があります。

　　Ｂ：ええ、ありがとう。その切符、買いましたか。

A：いいえ、田中さんに（　♪　）

　　＜田中さんにもらいました。＞

1．マリアさんとチンさんが話しています。だれがだれに机をもらいましたか。そして、だれ
　　にあげましたか。（　）に名前を書いてください。

男：あれ、マリアさん、この机、どうしましたか。

女：せんぱいのヤンさんにもらいました。ヤンさんはもう国へ帰りました。

男：その机は、5年前、ぼくがヤンさんにあげました。

女：本当ですか。この机はチンさんのでしたか。チンさんはこの机を買いましたか。

男：いいえ、ぼくももらいました。おじさんから。ぼくのおじさんがデパートでその机を買い

　　ました。

女：そうでしたか。チンさんのおじさんがこの机を買いましたか。この机、まだきれいですか

　　ら、大切に使います。

2．だれが机を買いましたか。書いてください。

10 何をしに行きますか。

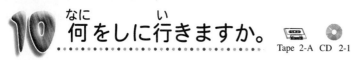

1. 会話を聞いて、例のように正しい答えを選んでください。

例 女：リーさん、大きなかばんですね。

男：ええ、この中にはタオルやいろいろなものがあります。友達と泳ぎに行きますから。

[リーさんはどこへ行きますか。]　　a．海　b．山　c．駅

① 女：リーさん、かぜですか。

男：ええ、ちょっと頭が痛いです。薬を買いに行きます。

[リーさんはどこへ行きますか。]　　a．靴屋　b．すし屋　c．薬屋

② 女：リーさん、その箱は何ですか。

男：日本人形です。母に送ります。今からこれを出しにいきます。

[リーさんはどこへ行きますか。]　　a．銀行　b．郵便局　c．空港

③ 女：リーさん、どちらへ。

男：ちょっと新宿まで本を買いに行きます。

女：ああ、そうですか。気をつけて。

[リーさんはどこへ行きますか。]　　a．図書館　b．本屋　c．映画館

④ 女：リーさん、いい天気ですね。

男：ほんとうに。今日はひまですから散歩に行きます。

女：いいですね。

[リーさんはどこへ行きますか。]　　a．公園　　b．会社　　c．病院

⑤ 女：リーさん、仕事は終わりましたか。

男：ええ。けい子さんも？

女：ええ。じゃ、いっしょに食事に行きませんか。

男：いいですね。行きましょう。

[リーさんとけい子さんはどこへ行きますか。]　a．レストラン　b．会社
　　　　　　　　　　　　　　　　　　　　　c．映画館

2. 短い会話を聞いてください。次にa・b・cの文を聞いて、会話の内容と合っているものを一つ選んでください。

例 男：マリアさん、それは何ですか。

女：これ？これは絵はがきです。友達に出します。

男：日本語で書きましたか。

女：いいえ、まだ下手ですから、英語で書きました。
　　a．女の人は日本語で書きました。
　　b．女の人は英語で書きました。
　　c．女の人は中国語で書きました。

① 男：この白いものは何ですか。チーズですか。

女：いいえ、チーズじゃありません。とうふです。

男：何で作りますか。牛乳ですか。

女：いいえ、大豆で作ります。

男：そうですか。
　　a．大豆はとうふで作ります。
　　b．とうふは大豆で作ります。
　　c．とうふは牛乳で作ります。

② 女：おはようございます。いつも早いですね。何時に学校に来ますか。

男：そうですね、8時ごろ来ます。

女：じゃ、何時に家を出ますか。

男：7時少し前です。
　　a．男の人はいつも8時ごろ家を出ます。
　　b．男の人はいつも7時ごろ学校に来ます。
　　c．男の人はいつも8時ごろ学校に来ます。

③ 男：今、何時ですか。

女：もう5時半ですよ。音楽会は6時からですね。

男：ええ。時間がありませんから、タクシーで行きませんか。

女：そうですね。でもこの辺はタクシーはあまり来ませんよ。

男：じゃ、バスで行きましょうか。

女：そうですね。あ、あそこに地下鉄の入口がありますよ。地下鉄で行きましょう。

男：じゃ、そうしましょう。
　　a．二人はタクシーで行きます。
　　b．二人は地下鉄で行きます。
　　c．二人はバスで行きます。

会話を聞いて、質問の答えを選んでください。

男：やあ、リーさん、どちらへ？

女：ええ、ちょっと、成田まで。

男：えっ？もう国へ帰りますか。

女：いいえ、友達を迎えに行きます。

男：ああ、そうですか。何で行きますか。

女：新宿から成田エクスプレスで行きます。

男：どのくらいかかりますか。

女：そうですね、1時間ちょっとです。

男：そうですか。では気をつけて。

では、質問です。選んでください。

① リーさんは何をしに成田に行きますか。正しいものに〇をつけてください。
　　ａ．成田に飛行機を見に行きます。
　　ｂ．成田に友達を迎えに行きます。
　　ｃ．成田に写真をとりに行きます。

② リーさんは成田まで何で行きますか。

　　ａ．バスで行きます。

　　ｂ．タクシーで行きます。

　　ｃ．成田エクスプレスで行きます。

③ 新宿から成田までどのくらいかかりますか。

　　ａ．ちょうど1時間かかります。

　　ｂ．1時間かかりません。

　　ｃ．1時間と少しです。

11 この旅館は建物が古いです。

1. 会話を聞いて、例のように絵を選んでください。

例　A：キムさんは車の運転ができますか。

　　B：ええ、できますよ。

① A：リーさんはギターが上手ですか。

　　B：いいえ、あまり上手ではありません。

② A：オンさんは漢字が分かりますか。

　　B：いいえ、ぜんぜん分かりません。

③ A：タンさんはゴルフができますか。

　　B：いいえ。でも、スキーがたいへん上手です。

④ A：ジョンさんは日本語が分かりますか。

　　B：ええ、よく分かりますよ。

⑤ A：ユンさんは歯が痛いですか。

　　B：いいえ、歯は痛くないです。頭が痛いです。

2. クイズをしましょう。わたしは何ですか。例のように選んでください。

例　わたしは耳が大きいです。
　　わたしは鼻が長いです。
　　わたしは体が大きいです。

① わたしは耳が長いです。
　　わたしは目が赤いです。
　　わたしは肉は食べません。

② わたしは首が長いです。
　　わたしは足も長いです。
　　わたしは足が速いです。

③ わたしは手がありません。
　　わたしは足もありません。
　　わたしは体が長いです。

ここはどんな旅館ですか。会話を聞いて、例のように線を書いてください。

A：ここですよ。リーさん、これが日本の旅館です。

B：ああ、これが日本の旅館ですか。

A：建物はちょっと古いですが、この旅館はいいですよ。さあ、入りましょう。

B：この旅館は庭が広いですね。木が多いですね。

A：部屋もきれいですよ。

B：ほんとうだ。きれいですねえ。それに、ここは静かですねえ。

A：ええ、駅から少し遠いですが、静かでいいでしょう。リーさん、この旅館は料理もおいし
　　いですよ。

B：いいですね。でも、田中さん、この旅館、値段はどうですか。

A：とても安いです。

B：そうですか。田中さん、わたしはこの旅館が好きになりましたよ。

A：それはよかったですね。

12 缶コーヒーは甘いですから、あまり飲みたくないです。

1. 例のように選んでください。その後で確かめてください。

例 A：このカメラはどうですか。

　　　 B：これですか。とてもいいカメラですが、高いですから、（　♪　）

　　　　　　＜とてもいいカメラですが、高いですから、買いません。＞

① A：リーさん、どうしましたか。

　　 B：かぜをひきました。熱がありますから、（　♪　）

　　　　　＜熱がありますから、学校を休みます。＞

② A：今晩、テレビでサッカーを見ますか。

　　 B：今日は宿題がたくさんありますから、（　♪　）

　　　　　＜今日は宿題がたくさんありますから、見ません。＞

③ A：ここは駅から遠いですね。

　　 B：ええ、歩いて20分かかります。ちょっと大変ですが、とても静かなところですから、（♪）

　　　　　＜とても静かなところですから、ここが好きです。＞

④ A：リーさん、お母さんのお誕生日に何をあげたいですか。

　　 B：そうですね……。母は音楽が好きですから、（　♪　）

　　　　　＜母は音楽が好きですから、CDをあげたいです。＞

⑤ A：九州まで飛行機で行きますか。新幹線で行きますか。

　　 B：ぼくは飛行機はあまり好きじゃありませんから、（　♪　）

　　　　　＜飛行機はあまり好きじゃありませんから、新幹線で行きます。＞

2. 次の会話を聞いて、例のように、ジョンさんの気持ちを「～たい」か「～たくない」を使って書いてください。

例 女：ジョンさん、どんな人と結婚したいですか。

　　　 男：やさしい人がいいです。

① 男：のどがかわきましたね。何か飲みませんか。

　　 女：ええ、冷たいものが飲みたいですね。ジョンさん、何にしますか。

　　 男：ウーロン茶ありますか。

② 男：新しいパソコンですか。

　　女：ええ、インターネットもできます。便利ですよ、ジョンさんもどうですか。

　　男：いいですね。アメリカの友だちにＥメールを送りたいです。値段はいくらぐらいですか。

③ 女：わたしたち、金曜日からスキーに行きますが、ジョンさんも一緒に行きませんか。

　　男：ぼくは、寒いところは、あんまり好きじゃありません。

　　女：そうですか。

④ 女：ジョンさん、あしたの日曜日、何がしたいですか。

　　男：いろいろあります。テニスと買い物とそれからデートと……。

　　女：洗濯と？

　　男：あ、それはちょっと……。

　　男の人はどんなコーヒーが好きですか。会話を聞いて、正しい答えを一つ選んでください。

女：あのう、ちょっとすみません。アンケートをお願いします。

男：何ですか。

女：コーヒーは好きですか。

男：ええ、好きですよ。

女：じゃあ、缶コーヒーもよく飲みますか。

男：いやあ、缶コーヒーはあまり飲みたくないなあ。

女：どうしてですか。

男：缶コーヒーはすごく甘いですからね。ぼくは、甘いコーヒーは、好きじゃありません。

女：そうですか。あのう、これは新しい缶コーヒーです。甘くないですよ。どうぞ。

男：えっ、いいんですか。

女：どうぞ、どうぞ。

男の人はどんなコーヒーが好きですか。

　a．甘いコーヒーが好きです。

　b．甘くないコーヒーが好きです。

　c．缶コーヒーが好きです。

13 　新宿はどんな町でしたか。　Tape 2-A　CD 2-4
（しんじゅく）　　（まち）

1. 例のように正しいほうを選んでください。その後で確かめてください。
（れい）　　　　（ただ）　　　　　（えら）　　　　　　　（あと）　（たし）

例　男：パーティーはどうでしたか。
（れい）（おとこ）

　　女：とても（　♪　）
（おんな）

　　　　＜とても楽しかったです。＞
（たの）

① 男：映画はどうでしたか。
（えいが）

　　女：あまり（　♪　）

　　　　＜あまりおもしろくなかったです。＞

② 男：今日の試験は難しかったですね。
（きょう）（しけん）（むずか）

　　女：ええ、でもきのうのは（　♪　）

　　　　＜きのうのはやさしかったです。＞

③ 男：ここはにぎやかですね。

　　女：ええ、でも１０年前は（　♪　）
（じゅう ねんまえ）

　　　　＜１０年前は静かでした。＞
（じゅう ねんまえ）（しず）

④ 男：きのうは暑かったですね。
（あつ）

　　女：ええ、でも今日は（　♪　）
（きょう）

　　　　＜今日は涼しいですね。＞
（きょう）（すず）

2. 短い会話を聞いてください。その後で文を言いますから、会話の内容と合っていたら○、ち
（みじか）（かいわ）（き）　　　　　　（あと）（ぶん）（い）　　　　　　（かいわ）（ないよう）（あ）

がっていたら×をつけてください。

例　女：リーさん、日本語が上手になりましたね。
（れい）（おんな）　　　　（にほんご）（じょうず）

　　男：そうですか。ありがとうございます。
（おとこ）

　　　　［リーさんは前から日本語が上手でした。］
（まえ）（にほんご）（じょうず）

① 女：リーさん、かぜはどうですか。

　　男：ええ、もう、だいじょうぶです。

　　　　［リーさんは元気になりました。］
（げんき）

② 女：ええっ、これ、５００円ですか。４００円じゃありませんか。
（ごひゃく えん）　　　　　（よんひゃく えん）

93

男：ええ、今月から５００円になりました。

女：そうですか。

[先月は５００円でした。]

③ 女：リーさん、床屋へ行きましたね。

男：ええ、きのう行きました。

女：ずいぶんたくさん切りましたね。

[リーさんは髪が短くなりました。]

④ 女：その本、もう読みました？

男：いいえ、まだです。半分読みましたけど。

女：おもしろくないですか。

男：はじめはおもしろかったんですけど……。

[この本はおもしろくなりました。]

1. 男の人と女の人は東京の都庁へ行きました。二人の会話を聞いて、１９７０年ごろの新宿の絵を選んでください。

男：これが都庁のビルですか。新宿駅からあまり遠くないですね。

女：ええ、１０分ぐらいですね。

男：わあ、高いですね。何階ですか。

女：４８階です。４５階にロビーがありますから、そこへ行きましょう。エレベーターはこちらですよ。

男：けい子さん、あの写真は？

女：ああ、あれは１９７０年ごろの新宿です。

男：今とずいぶんちがいますね。

女：ええ、道が狭かったですね。それに、建物もみんな低かったですね。小さい家がたくさんありました。

男：今は高いビルが多くなりましたね。

女：ええ、道も広くなりました。さあ、早く行きましょう。エレベーターが来ましたよ。

2. もう一度会話を聞いてください。次にa・b・c・dの文を聞いて、会話の内容に合っているものを一つ選んでください。

ａ．都庁は新宿駅から遠いです。

ｂ．ロビーは４８階にあります。

ｃ．新宿には高いビルがたくさんあります

ｄ．新宿の道は大変狭いです。

14

日本とタイではどちらが大きいですか。

Tape 2-B CD 2-5

1. 会話の内容と合っている絵に○、ちがうものに×をつけてください。

例　A：リーさんと花子さんではどちらが背が高いですか。

　　B：花子さんです。

① A：この二つの山、高山と大山ではどちらが高いですか。

　　B：高山のほうが高いです。

② A：このりんごとこのみかんはどちらが重いですか。

　　B：みかんです。

③ A：かずおさんと花子さんとではどちらが若いですか。

　　B：かずおさんです。

④ A：このボールペンとえんぴつは同じぐらい長いですか。

　　B：いいえ、このボールペンはえんぴつほど長くないですよ。

⑤ A：このワインはこのウイスキーほど高くないでしょう？

　　B：いいえ、ワインのほうがウイスキーより高いですよ。

2. 例のように正しい会話を選んでください。

例　a．男：あなたの国では、いつがいちばん暑いですか。
　　　　女：8月です。

　　b．男：あなたの国では、いつがいちばん暑いですか。
　　　　女：沖縄です。

① a．男：日本では、どこがいちばん好きですか。
　　　　女：春です。花がたくさん咲きますから。

　　b．男：日本では、どこがいちばん好きですか。
　　　　女：京都です。古いお寺がありますから。

② a．男：このクラスでは、だれがいちばん若いですか。
　　　　女：中国人です。10人います。

　　b．男：このクラスでは、だれがいちばん若いですか。
　　　　女：リーさんです。18歳です。

③ a．男：きれいな花がたくさんありますね。ラタナさんは何色の花が好きですか。

　　　女：わたしは桜が好きです。

　　b．男：きれいな花がたくさんありますね。ラタナさんは何色の花が好きですか。

　　　女：わたしは白い花が好きです。

④ a．女：テニスとサッカーでは、どちらが好きですか。

　　　男：サッカーです。

　　b．女：テニスとサッカーでは、どちらが好きですか。

　　　男：サッカーがいちばん好きです。

3．短い会話を聞いてください。女の人の答えをよく聞いて、会話の内容と合っているものを選んでください。

例　男：あなたの国では、りんごとバナナとどちらが高いですか。

　　女：1キロの値段ですね。どちらも高いですが、りんごはバナナほど高くないですよ。

　　　a．バナナはりんごより安いです。

　　　b．りんごはバナナより安いです。

① 男：あなたの家では、電気とガスとどちらをよく使いますか。

　　女：電気です。ガスのほうが安いですが、電気ほど便利ではありませんから。

　　　a．電気のほうが便利です。

　　　b．ガスのほうが便利です。

② 男：土曜日と日曜日と、どちらが都合がいいですか。

　　女：どちらでもいいですが…。日曜日は土曜日ほどひまではありません。

　　　a．日曜日のほうがひまです。

　　　b．土曜日のほうがひまです。

③ 男：「聞きとり」と「書きとり」とどちらが難しいですか。

　　女：そうですね…。どちらも難しいですね。でも、わたしは「書きとり」は「聞きとり」

　　　ほど難しくないです。

　　　a．「書きとり」のほうがやさしいです。

　　　b．「書きとり」のほうが難しいです。

日本とタイではどちらが大きいですか。次の会話を聞いてください。

先 生：きのうは日本の地図を見ましたね。今日はアジアの地図を見ましょう。

学生A：先生、日本は小さいですね。中国は大きいなあ。

先 生：そうですね。

学生B：先生、日本と同じぐらいの国もありますね。日本とフィリピンとマレーシアは同じ
　　　　ぐらいですね。この三つの国では、どこがいちばん大きいですか。

先 生：それは日本ですよ。

学生B：えっ、そうですか。では、フィリピンとマレーシアではどちらが大きいですか。

先 生：マレーシアのほうが大きいです。

学生A：じゃ、先生、タイはどうですか。

先 生：タイは日本よりずっと大きいですよ。

学生A：ああ、そうですか。

1．日本とタイではどちらが大きいですか。正しいほうに○をつけてください。

　　　　a．日本のほうがタイより大きいです。
　　　　b．タイのほうが日本より大きいです。

2．もう一度会話を聞いて、例のように質問の答えを選んでください。

例　中国と日本ではどちらが大きいですか。

①　日本とマレーシアではどちらが大きいですか。

②　フィリピンとマレーシアではどちらが小さいですか。

③　マレーシアとタイではどちらが大きいですか。

1. 例のように質問の答えを完成してください。その後で確かめてください。

例1　A：もう料理を作りましたか。

　　　　B：まだです。今、（　♪　）

　　　　　＜まだです。今、作っています。＞

例2　A：そうじは終わりましたか。

　　　　B：いいえ。今、（　♪　）

　　　　　＜いいえ。今、しています。＞

①　A：もうお皿を洗いましたか。

　　B：まだです。今、（　♪　）

　　　＜まだです。今、洗っています。＞

②　A：今日の新聞を読みましたか。

　　B：いいえ。今、（　♪　）

　　　＜いいえ。今、読んでいます。＞

③　A：宿題は終わりましたか。

　　B：いいえ。今、（　♪　）

　　　＜いいえ。今、しています。＞

④　A：もう服を着ましたか。

　　B：まだです。今、（　♪　）

　　　＜まだです。今、着ています。＞

⑤　A：もう手紙を書きましたか。

　　B：まだです。今、（　♪　）

　　　＜まだです。今、書いています。＞

2. これからリーさんの1日の生活を説明します。絵を見ながら聞いてください。

　　リーさんは、朝7時に起きます。朝ごはんを食べて、歯を磨きます。8時に学校へ行って、勉強

します。１２時半に昼ごはんを食べます。３時に授業が終わって、図書館で勉強します。５時にアルバイトに行きます。７時に晩ごはんを食べます。９時にうちに帰って、１０時におふろに入ります。宿題をして、テレビを見ます。１２時に寝ます。

これからａからｅの文を言います。絵と合っていたら○、ちがっていたら×をつけてください。

　　a．リーさんは歯を磨いてから、朝ごはんを食べます。

　　b．図書館で勉強してから、昼ごはんを食べます。

　　c．うちへ帰ってから、アルバイトに行きます。

　　d．おふろに入ってから、宿題をします。

　　e．テレビを見てから、おふろに入ります。

１．ここは留学生会館のロビーです。マリアさんとタンさんはどの人ですか。例のように選んでください。

女：田中さん、どうぞこちらへ。ここがロビーです。

男：おじゃまします。わあ、広いですね。たくさんの学生が休んでいますね。

女：ええ。ほら、あそこでジョンさんが友達と話していますよ。

男：ほんとだ。あ、あそこにマリアさんがいますね。

女：ええ、英語の新聞を読んでいます。

男：リーさんはどこにいますか。いませんね。

女：リーさんは今、部屋で勉強しています。

男：タンさんは？

女：タンさんですか。タンさんはあそこにすわっていますよ。

男：タンさん、タンさん。

女：音楽を聞いていますからね。もっとそばへ行きましょう。

２．マリアさんとタンさんは何をしていますか。書いてください。

16 写真をとってもいいですか。

Tape 2-B CD 2-7

1. 女の人はどうしますか。会話を聞いて、例のように選んでください。

例 女：この辞書、借りてもいいですか。

男：あっ、すみませんが、辞書は図書館の中で使ってください。

女：はい、わかりました。

　　a．辞書を借りて家で使います。

　　b．辞書を持って帰りません。

① 女：この本、コピーしてもいいですか。

男：はい。あの3番のコピー機を使ってください。

女：はい。3番ですね。

　　a．本をコピーしません。

　　b．コピー機を使います。

② 女：すみません。運動公園へ行きたいんですが。

男：運動公園ですか。ええと、運動公園はこの地図を見てください。

女：あ、はい。この地図、もらってもいいですか。

男：ええ、どうぞ。

　　a．地図をもらって、運動公園へ行きます。

　　b．地図を買って、運動公園へ行きます。

③ 男：あの、その女の人、ちょっと待ってください。

女：はい、わたしですか。入ってはいけませんか。

男：いいえ、かばんをロッカーに入れてから入ってください。

女：あっ、はい、すみません。

　　a．ロッカーにかばんを入れます。

　　b．かばんを持って中に入ります。

④ 男：ちょっと、ちょっと、そこの人、そこにごみを捨ててはいけませんよ。

女：あっ、すみません。ごみ箱はどこにありますか。

男：ごみ箱はありません。ごみは自分で持って帰って、家で捨ててください。

女：はあい。

　　a．ごみをごみ箱に捨てて、帰ります。

　　b．家に帰ってから、ごみを捨てます。

⑤ 女：きれいな色ですね。わたし、この人の絵が大好きです。

男：絵はがきやポスターよりこちらのほうがずっときれいですね。

女：ええ、本当に。写真をとってもいいでしょうか。

男：だめだめ、あれを見てください。

女：あーあ、残念。

    ａ．ポスターの写真をとります。

    ｂ．カメラは使いません。

２．例のように書いてください。その後で確かめてください。

例 Ａ：寒いですね。窓を閉めましょうか。

    Ｂ：ええ、（ ♪ ）

      ＜ええ、閉めてください。＞

① Ａ：暗いですね。電気をつけましょうか。

    Ｂ：ええ、（ ♪ ）

      ＜ええ、つけてください。＞

② Ａ：このお皿、あまりきれいではありませんね。洗いましょうか。

    Ｂ：ええ、（ ♪ ）

      ＜ええ、洗ってください。＞

③ Ａ：このいすをとなりの部屋へ運びましょうか。

    Ｂ：ええ、（ ♪ ）

      ＜ええ、運んでください。＞

④ Ａ：お財布を忘れました。

    Ｂ：じゃあ、お金を少し貸しましょうか。

    Ａ：すみません、じゃあ（ ♪ ）

      ＜すみません、じゃあ、貸してください。＞

⑤ Ａ：今日は朝から頭が痛いです。

    Ｂ：薬をあげましょうか。

    Ａ：ええ、（ ♪ ）

      ＜ええ、ください。＞

3. 男の人は何をしますか。例のように選んでください。女の人のことばのアクセントや発音によく注意して聞いてください。

例　女：わたしの父に会ってください。

　　男：はい。

① 女：ねえ、あれを買ってください。

　　男：あれですか。はいはい。

② 女：どうぞ、これで切ってください。

　　男：はい、ありがとう。

③ 女：どうぞ、お先に行ってください。

　　男：はい、じゃあ、失礼します。

④ 女：すぐ読んでください。

　　男：はい、わかりました。

小学生と先生の会話を聞いて、aからeの文が会話の内容と合っていたら○、ちがっていたら×をつけてください。はじめに少しaからeの文を読んでください。では始めます。

先生：これからお城の中を見学します。お城の中は階段もありますから、走ってはいけません。ゆっくり歩いてください。友達を押してはいけませんよ。古い刀やかぶと、着物などがたくさんありますから、よく見てください。案内の方のお話をよく聞いてください。大きな声で話してはいけませんよ。

生徒：先生、お城のいちばん上に登ってもいいですか。

先生：いいですよ。でも階段に気をつけてください。

生徒：写真をとってもいいですか。

先生：お城の中はとってはいけません。でも、外はいいですよ。ほかに、質問はありませんか。じゃあ、入りましょう。

　　　a. お城の中で走ってもいいです。

b．友達を押してはいけません。

c．お城の外の写真をとってはいけません。

d．お城の中で大きな声で話してもいいです。

e．お城のいちばん上に登ってもいいです。

みんな来ています。

1. 短い会話を聞いてください。次にa・bの文を聞いて、会話の内容に合っているほうを選んでください。

例　A：リーさんのお兄さんは日本に来ましたか。

　　B：ええ、もう日本に来ています。

　　　　a．リーさんのお兄さんは日本に来ます。

　　　　b．リーさんのお兄さんは日本にいます。

① A：門の前に車が止まっていますね。

　　B：ええ、あれは鈴木さんの車です。

　　　　a．鈴木さんの車は門の前に止まっています。

　　　　b．鈴木さんは門の前で待っています。

② A：桜の花は、もう咲きましたか。

　　B：ええ、もう咲いていますよ。

　　　　a．もう、桜の花は終わりました。

　　　　b．今、桜の花が咲いています。

③ A：田中さんのうちを、知っていますか。

　　B：ええ、田中さんは横浜に住んでいますよ。

　　　　a．田中さんは横浜を知っています。

　　　　b．田中さんは横浜に住んでいます。

④ A：このワープロ、使ってもいいですか。

　　B：ああ、それは、こわれていますよ。

　　　　a．女の人はワープロを使います。

　　　　b．女の人はワープロを使いません。

⑤ A：コウさんは今、部屋にいますか。

　　B：コウさんは、今、銀行に行っていますよ。

　　　　a．コウさんは部屋にいます。

　　　　b．コウさんは銀行に行きました。

2. 文を途中まで言います。正しいほうを選んで文を完成させてください。その後で確かめてください。

例 電気がついていますから、（ ♪ ）

　　＜電気がついていますから、消してください。＞

① 窓が開いていますから、（ ♪ ）

　　＜窓が開いていますから、閉めてください。＞

② 鍵がかかっていますから、（ ♪ ）

　　＜鍵がかかっていますから、開けてください。＞

③ ドアが閉まっていますから、（ ♪ ）

　　＜ドアが閉まっていますから、開けてください。＞

④ 箱にビールが入っていますから、（ ♪ ）

　　＜箱にビールが入っていますから、出してください。＞

⑤ いすがこわれていますから、（ ♪ ）

　　＜いすがこわれていますから、直してください。＞

⑥ ごみが落ちていますから、（ ♪ ）

　　＜ごみが落ちていますから、掃除してください。＞

3. 女の人はこれから何をしますか。例のように選んでください。

例 男：次の電車は9時15分ですね。

　　女：じゃあ、切符を買ってきますから、ここで待っていてください。

　　　　a．切符を買います　b．時間を聞きます

① 男：山田さん、遅いですね。もうみんな来ていますよ。

　　女：もう少し待ってください。今、呼んできますから。

　　　　a．山田さんを待ちます　b．山田さんを呼びます

② 男：アンさん、どこへ行きますか。

　　女：この手紙を出してきます。

　　　　a．手紙を書きます　b．手紙を出します

③ 男：リサさん、今日の午後はひまですか。

　　女：ええ、いい天気ですから、公園を散歩してきます。

a．公園を歩きます　b．公園を掃除します

④　男：雨が降っていますよ。

　　女：かさを借りてきますから、ここで待っていてください。

　　　　a．かさを貸します　b．かさを借ります

⑤　男：あした、漢字のテスト、ありますか。

　　女：ちょっと、待ってください。先生に聞いてきますから。

　　　　a．先生に聞きます　b．先生と行きます

今日は田中さんの部屋はいつもよりきれいです。どうしてですか。

（ノックの音）

田中：どうぞ、開いていますよ。

ラン：田中さん、こんにちは。

田中：あ、ランさん、いらっしゃい。どうぞ入ってください。

ラン：わあ、田中さん、部屋がとてもきれいですね。

田中：ええ、けさ、急いで掃除をしました。ちょっと、あれ、テーブルの上を見てください。

ラン：わあ、きれいな花ですね。田中さんが花を買ってきましたか。めずらしいですね。

田中：冷蔵庫にはジュースもケーキも入っていますよ。今日はお客さんが来ますから…。

ラン：田中さん、お客さんってだれですか。

田中：フフフ、ランさん、お客さんはあなたですよ。マリアさんもリーさんも、もうみんな来

　　　ていますよ。

リー

田中　　}　ランさん、お誕生日おめでとう!!

マリア

　どうして田中さんの部屋はいつもよりきれいですか。a・b・cの中から一つ選んで○をつ

けてください。

18 これはかぜの薬で、それはおなかの薬です。

1. どんな形容詞を使っていますか。例のように選んでください。

例 このかばんは大きくて、重いです。

① このりんごは固くて、まずいです。

② あの人はやさしくて、きれいです。

③ ここは狭くて、きたない部屋ですね。

④ とても軽くて、柔らかいパンですね。

⑤ このアパートは駅から遠くて、さびしいです。

2. 例のように選んでください。その後で確かめてください。

例 わたしの部屋は明るくて、（ ♪ ）

＜わたしの部屋は明るくて、きれいです。＞

① このかばんはじょうぶで、（ ♪ ）

＜このかばんはじょうぶで、かるいです。＞

② あの店はコーヒーがまずくて、（ ♪ ）

＜あの店はコーヒーがまずくて、値段も高いです。＞

③ 今日は風が強くて、（ ♪ ）

＜今日は風が強くて、寒いです。＞

④ この辺はうるさくて、（ ♪ ）

＜この辺はうるさくて、物価も高いです。＞

3. 短い会話を聞いてください。次に、a・b・cの文を聞いて、会話の内容と合っているものを一つ選んでください。

例 男：あっ、あの人、ヤンさんのお兄さんですよ。

女：えっ、どの人？ あそこの背が高くて、髪が長い人ですか。

男：ちがいますよ。そのとなりの背が低くて、髪が短い人ですよ。

女：ああ、そうですか。

    a．ヤンさんのお兄さんは　背が高くて、髪が長いです。

    b．ヤンさんのお兄さんは　背が低くて、髪が長いです。

    c．ヤンさんのお兄さんは　背が低くて、髪が短いです。

① 女：ジョンさんは学生さんですか。

男：ええ、専門学校の学生です。

女：何を勉強していますか。

男：写真です。

女：じゃあ、カメラマンになりたいんですか。

男：ええ、テレビのカメラマンになりたいです。

    a．男の人は大学生で、専門は写真です。

    b．男の人は専門が写真で、カメラマンになりたいです。

    c．男の人は専門学校の学生で、テレビで勉強をしています。

② 女：田中さんのアパートは駅の近くですか。

男：ええ、すぐそばです。

女：じゃ、便利ですね。広いんですか。

男：いいえ、狭いです。それに、クーラーがありませんから、夏はすごく暑いです。

    a．男の人のアパートは広くて、便利です。

    b．アパートは狭くて、夏は暑いです。

    c．アパートは駅の近くで、クーラーもあります。

③ 男：すみません。この電車、小田原行きですか。

女：ええ、そうですよ。

男：ああ、よかった。じゃあ、町田に止まりますね。

女：止まりますけど、これは急行じゃないから、あの急行のほうが早いですよ。

男：あ、そうですか。どうもありがとうございます。

    a．この電車は小田原行きですが、急行ではありません。

    b．この電車は小田原行きですが、町田に止まりません。

    c．この電車は急行で、小田原行きです。

1. リーさんは体の調子が悪くて、お医者さんに行きました。リーさんはどこが悪いですか。（　）に○を書いてください。

医者：どうしました？

リー：あのう、きのうからのどが痛くて……、ときどきせきも出ます。

医者：熱は？

リー：熱はありませんが、おなかも少し痛いです。

医者：どれどれ。ああ、たぶんかぜですね。薬をあげましょう。白い薬はかぜの薬で、黄色い
　　　のはおなかの薬です。朝昼晩、３回飲んでください。

リー：はい、わかりました。あの、一つずつでいいですか。

医者：そう、１錠ずつ３回飲んでください。

リー：はい、ありがとうございました。

医者：おだいじに。

2. リーさんはどんな薬の袋をもらいましたか。もう一度会話を聞いて、選んでください。

1. 例のように、適当な動詞を選んで、文を完成してください。その後で確かめてください。

例 A：タンさん、ピアノをひいてください。

B：すみません。わたしはピアノを（ ♪ ）

＜わたしはピアノをひくことができません。＞

① A：マリアさん、漢字が分かりますか。

B：ええ、分かりますよ。１０００ぐらい（ ♪ ）

＜１０００ぐらい書くことができます。＞

② A：ジョンさん、きれいな海ですね。泳ぎませんか。

B：ええ、泳ぎたいですが、でも、（ ♪ ）

＜でも、泳ぐことができません。＞

③ A：ジョンさん、その切符は何ですか。

B：これですか。これはとても便利な切符ですよ。これで、日本中を（ ♪ ）

＜これで日本中を旅行することができます。＞

④ A：京子さん、きれいな着物ですね。自分で着ましたか。

B：いいえ、わたしは着物を（ ♪ ）

＜いいえ、わたしは着物を着ることができません。＞

⑤ A：わあ、大きい洗濯機ですね。

B：ええ、この洗濯機でシャツを１００枚（ ♪ ）

＜ええ、この洗濯機でシャツを１００枚洗うことができます。＞

2. 会話を聞いて、例のように書いてください。

例 A：晩ごはんを食べてから、すぐ歯を磨きますか。

B：いいえ、寝る前に歯を磨きます。

① A：これ、どうぞ。わたしが作りました。

B：おいしいですね。どこで習いましたか。

A：料理学校です。結婚する前に習いました。

② A：先生、教科書を読んでもいいですか。

B：いいえ、はじめにテープを聞いてください。それから、教科書を読んでください。

③　A：田中さん、すぐうちへ帰りますか。

　　B：いいえ、図書館へ行きます。それから、うちへ帰ります。

④　A：おもしろいビデオがあるから、一緒に見ましょう。

　　B：ええ。でもその前に宿題をしましょう。

⑤　A：家を出る前に電話をしてくださいね。迎えに行きますから。

　　B：はい、わかりました。

4人の人はそれぞれどんなことができますか。会話を聞いて、答えを書いてください。

女：来月は大学祭ですね。わたしたち留学生会でも何かしたいですね。

男：そうですね。でも、何をしましょうか。

女：いろいろな国の歌のコンサートはどうですか。マリアさんは歌がとても上手ですよ。

　　ソンさんはギターをひくことができます。

男：じゃあ、マリアさんに歌を、ソンさんにギターを頼みましょう。ほかには何ができますか。

女：あ、そうだ。ギョーザやシューマイ、ラーメンなどのお店を出しましょう。ワンさんは料

　　理が上手ですよ。わたしも手伝うことができます。ところで、キムさん、あなたは何がで

　　きますか。

男：え、わたしですか。わたしは料理を作ることはできませんが……。困ったな。そうだ。

　　わたしはラーメンを１０杯食べることができます。

20 銀行へ行かなければなりません。

1. 男の人はどうしますか。例のようにa・b・cの中から一つ選んで○をつけてください。

例　女：この紙に書かないでください。

　　男：はい、分かりました。

① 女：机の上に辞書やノートを出さないでください。

　　男：はい、分かりました。

② 女：あしたの朝、早く起きなければなりませんか。

　　男：ええ、もちろん。

③ 女：あの、ここでたばこを吸わないでください。

　　男：あ、失礼しました。

④ 男：あしたも来なければなりませんか。

　　女：あしたは来なくてもいいですよ。

⑤ 男：このカセットテープは返さなくてもいいですか。

　　女：いいえ、これは返さなければなりません。

⑥ 男：テレビをつけてもいいですか。

　　女：あ、今つけないでください。

2. 短い会話を聞いて、その会話の内容と合っている絵を選んでください。

例　A：あの、すみません、ここで吸わないでくださいませんか。

　　B：ああ、どうもすみません。外で吸います。

① A：もしもし、ここに車を止めないでください。

　　B：はい、すみません。あの、この辺に駐車場がありますか。

② A：シャツもぬがなければなりませんか。

　　B：シャツはぬがなくてもいいですよ。では、とります。息を吸って、はい、止めてください。

③ A：あっ、まだ書いていますから、消さないでください。

　　B：あっ、ごめんなさい。

④ A：このお皿は片付けなくてもいいですか。

　　B：いいえ、ここは、セルフサービスですから、自分で片付けなければなりません。

⑤ A：はんこを押さなければなりませんか。

　　B：いいえ、サインでもいいですよ。

⑥ A：この箱にはガラスのコップが入っています。こわさないでくださいね。

　　B：はい、じゃあ、いちばん上に置きましょう。

**妹がお姉さんと話しています。お姉さんは毎日どんなことををしなければなりませんか。後で
文を言いますから、会話の内容と合っているものに○をつけてください。**

妹：ああ、毎日毎日、実験とレポート。本当に忙しいわ。いいわね。お姉さんはひまで。

姉：とんでもない。主婦もけっこう忙しいのよ。朝は子どもを幼稚園に連れて行かなければな
　　らないでしょ。その後は、掃除や洗濯をしなければならない。午後は銀行や郵便局へ行か
　　なければならないし、夕方は買い物や夕食の準備でしょ。犬の散歩にも行かなければなら
　　ないし…。

妹：でも、夜は少し時間があるでしょ。

姉：夜だってごはんを食べてから、台所を片付けて、子どもをおふろに入れなければならない
　　し、洗濯物にアイロンをかけて、それからがやっと自分の時間ね。

妹：ふうん。主婦も大変なのね。

お姉さんは何をしなければなりませんか。

　　a．レポートを書かなければなりません。

　　b．子どもを幼稚園に連れて行かなければなりません。

　　c．実験をしなければなりません。

　　d．アイロンをかけなければなりません。

　　e．買い物をしなければなりません。

　　f．大学へ行かなければなりません。

　　g．銀行へ行かなければなりません。

スキーをしたことがありますか。

1. 短い会話を聞いてください。次にa・bの文を聞いて、会話の内容に合っているほうを選んでください。

例　男：歌舞伎を見たことがありますか。

　　女：ええ、一度見に行ったことがあります。

　　　　a．女の人は歌舞伎を見たことがあります。

　　　　b．女の人は歌舞伎を見たことがありません。

① 男：山田先生の奥さんに会いましたか。

　　女：いいえ、まだ会ったことがありません。

　　　　a．女の人は山田先生の奥さんに会ったことがあります。

　　　　b．女の人は山田先生の奥さんに会ったことがありません。

② 男：けい子さんは去年京都へ行ったでしょう。どうでしたか。

　　女：とてもよかったです。また行きたいです。

　　　　a．女の人は京都へ行ったことがあります。

　　　　b．女の人は京都へ行ったことがありません。

③ 男：この音楽、いいでしょう。

　　女：ええ、いいですねえ。わたしもこのＣＤ持っています。

　　　　a．女の人はこの音楽を聞いたことがあります。

　　　　b．女の人はこの音楽を聞いたことがありません。

④ 男：山は好きですか。

　　女：ええ。去年、富士山にも登りました。

　　　　a．女の人は富士山に登ったことがあります。

　　　　b．女の人は富士山に登ったことがありません。

⑤ 男：日本料理はどうですか。

　　女：さあ、まだ食べたことがないので、分かりません。

　　　　a．女の人は日本料理を食べたことがあります。

　　　　b．女の人は日本料理を食べたことがありません。

⑥ 男：アルバイトをしたことがありますか。

　　女：いいえ。でも夏休みにしたいです。

　　　　a．女の人はアルバイトをしたことがあります。

　　　　b．女の人はアルバイトをしたことがありません。

2. 会話を聞いて、例のように絵を選んでください。

例 男：コンコン（せきの声）

女：薬を飲んだほうがいいですよ。

① 男：ぼくの時計、ここにもないなあ。どこにいったかなあ。

女：掃除をしたほうがいいですよ。

② 男：あれ、財布がない。

女：もう一度よく探したほうがいいですよ。

③ 男：あれ、3キロも多い。

女：少し運動したほうがいいですよ。

④ 男：あーあ、疲れた。

女：少し休んだほうがいいですよ。

⑤ 男：えっ、20点。たいへんだ。

女：もっと勉強したほうがいいですよ。

⑥ 男：あれ、ずいぶん道がこんでいますね。困ったなあ。

女：これじゃあ、電車で行ったほうがいいですよ。

 女の人と男の人はスキーをしたことがありますか。会話を聞いて正しいものに○を書いてください。

女：木村さん、今度の休みには、どこかへ出かけますか。

男：ええ、スキーに行きます。

女：えっ！スキーに行くんですか。

男：うん、ぼくは毎年スキーに行くんですよ。ラタナさんはスキーをしたことがありますか

女：いいえ、一度もありません。雪もまだ見たことがないんです。

男：じゃあ、一緒に行きませんか。楽しいですよ。

女：ぜひ行きたいです。でも、スキーは準備が大変でしょう。

男：だいじょうぶ、だいじょうぶ。全部スキー場で借りることができますから。初めての人

借りたほうがいいんですよ。

女：そうですか。よかった。

22 どこかへ行った？ 📼 💿

1. 女の人と男の人と、どちらがていねいに話していますか。ていねいなほうに○をつけてください。

例 男：けさの新聞、読んだ？

　　女：いいえ、まだです。

① 男：会議もう終わった？

　　女：いいえ、まだです。

② 男：あの映画おもしろかったですか。

　　女：うん、とっても。

③ 女：もう一杯ビールどう？

　　男：はっ、ありがとうございます。

④ 女：今、コピーしてもいいでしょうか。

　　男：ああ、いいよ。

⑤ 女：試験どうでした？　難しかったですか。

　　男：いや、あんまり難しくなかったよ。

⑥ 男：そのりんごおいしい？

　　女：そうですねえ。ちょっとすっぱいですね。

2. 短い会話を聞いてください。その後で質問を聞いて、正しい答えを選んでください。

例 女：何か飲む？

　　男：いや、今、飲まない。後で。

　　［男の人はどうしますか。］

　　　　a．今、飲みません。

　　　　b．今、乗りません。

① 男：きのう学校に行った？

　　女：うん、行った。

　　［女の人はどうしましたか。］

　　　　a．学校にいました。

　　　 b．学校に行きました。

② 女：あれ買った？

　　 男：ううん、買わなかった。

　　 [男の人はどうしましたか。]

　　　 a．買いませんでした。

　　　 b．借りませんでした。

③ 男：アルバイトしている？

　　 女：うん、少ししてる。

　　 [女の人はアルバイトをしていますか。]

　　　 a．少ししています。

　　　 b．少し知っています。

④ 女：ちょっと待ってくれる？

　　 男：ああ、いいよ。

　　 [男の人はどうしますか。]

　　　 a．ちょっと持ちます。

　　　 b．ちょっと待ちます。

⑤ 男：もうあのカメラ使った？

　　 女：ああ、あれ？　うん、使った。

　　 [女の人はどうしましたか。]

　　　 a．カメラを買いました。

　　　 b．カメラを使いました。

はじめに解答用紙のラタナさんの日記を読んでください。それから、ラタナさんとせんぱいの
チャンさんの会話を2回聞いてください。そして、例のように普通体で日記を完成してくださ
い。では始めます。

男：きのうはいい天気だったね。ラタナさんはどこかへ行った？

女：ええ、鎌倉へ行きました。

男：一人で？

女：いいえ、田中さんと二人で行きました。

男：そう。新宿から？

119

女：ええ、新宿から小田急線で藤沢駅まで行きました。そこから、江の電に乗り換えました。窓からきれいな海が見えました。

男：藤沢から何分ぐらいだった？

女：そうですね。３０分ぐらいでした。

男：鎌倉ってどんなところ？

女：たいへん古い町です。１１８０年から１５０年間ぐらい、日本の中心でした。ですから、古いお寺もたくさんありますよ。大仏は有名です。

男：そう。楽しかった？

女：ええ、とても楽しい１日でした。

男：それはよかったね。

3 ホテルのロビーに集まると言ってください。

1. 女の人は何と言いましたか。会話を聞いて、例のように答えを書いてください。

例 女：リーさん、今晩、9時に電話しますね。

　　男：分かりました。待っています。

① 女：今日はおなかが痛いから、休みます。

　　男：そうですか。先生に伝えますから、ゆっくり休んでください。

② 女：試験も終わりました。あしたはひまですから、遊びに来ませんか。

　　男：いいですね。ぼくもひまですから、行きます。

③ 男：あの人、大学生ですよね。

　　女：ううん、そうじゃないですよ。

④ 男：あれ、田中さんはもう帰りましたか。

　　女：いいえ、まだかばんがあるから、いますよ。

2. 次のような場合、日本語で何と言いますか。適当なほうに○を書いてください。

例 リーさんは花子さんに、ネクタイをもらいました。リーさんは花子さんに何と言いますか。

　　a.「どうもありがとう」と言います。

　　b.「どうもおめでとう」と言います。

① リーさんはかぜをひきました。今日は学校を休みます。朝、学校に電話をしました。
　事務所の人は何と言いますか。

　　a.「どうぞお元気で」と言います。

　　b.「どうぞお大事に」と言います。

② 今晩、山田先生の家でパーティーがあります。リーさんは行くことができません。ヤンさ
　んは行きます。リーさんはヤンさんに何と言いますか。

　　a.「山田先生にどうぞよろしく」と言います。

　　b.「山田先生にごめんなさい」と言います。

③ 花子さんがアメリカへ行きます。短い旅行です。リーさんは花子さんを空港まで送りまし
　た。空港でリーさんは何と言いますか。

　　　　　ａ．「さようなら」と言います。

　　　　　ｂ．「気をつけて」と言います。

④　リーさんは田中さんに６か月も会いませんでした。今日、銀行で田中さんに会いました。
　　田中さんに何と言いますか。

　　　　　ａ．「田中さん、しばらくです」と言います。

　　　　　ｂ．「田中さん、お待ちどうさま」と言います。

⑤　リーさんは田中さんの家に行きました。晩ごはんを一緒に食べました。ごはんを食べた後
　　で、何と言いますか。

　　　　　ａ．「いただきました」と言います。

　　　　　ｂ．「ごちそうさまでした」と言います。

 はじめにヤンさんのメモを読んでください。では、会話を聞いて、正しいメモを選んでください。

田中：もしもし、佐藤さんですか。

ヤン：いいえ、今、佐藤さんは、ちょっと出かけています。ぼくは友達のヤンです。

田中：ぼく、田中と申しますが、佐藤さんに伝えてください。

ヤン：はい、ちょっとメモしますから、ゆっくり言ってください。

田中：鈴木君がフランスから夏休みで帰ってきたので、今度の日曜日にクラス会をすると伝え
　　　てください。ええと、時間は夜６時から。場所は品川の富士ホテルです。

ヤン：ちょっと待ってください。ええと、クラス会をするんですね。今度の日曜に、夜の６時
　　　からで、場所は？

田中：品川の富士ホテルです。ロビーに集まると言ってください。

ヤン：あの、すみません。もう一度お名前を。

田中：田中です。じゃ、よろしくお願いします。

ヤン：はい、分かりました。失礼します。

24 いくつまで生きるでしょうか。

 1. 適当な会話を選んでください。

例　a．A：リーさん、兄弟が何人いますか。

　　　　B：えーと、弟が一人、妹が二人。三人いるでしょう。

　　b．A：リーさん、兄弟が何人いますか。

　　　　B：えーと、弟が一人、妹が二人。三人います。

① a．A：今晩のパーティー、けい子さんも来るでしょうか。

　　　　B：たぶん来るでしょう。

　　b．A：今晩のパーティー、けい子さんも来るでしょうか。

　　　　B：そうですか？来るでしょうか。

② a．A：ほら見て。あそこに病院があるでしょう？

　　　　B：ああ、ありますね。

　　b．A：ほら見て。あそこに病院があるでしょう？

　　　　B：ええ、あるでしょう。

③ a．A：その本、読んだ？あまりおもしろくないでしょう。

　　　　B：ええ、おもしろくないでしょう。

　　b．A：その本、読んだ？あまりおもしろくないでしょう。

　　　　B：いいえ、おもしろいですよ。

④ a．A：けい子さんの電話番号を知っていますか。

　　　　B：はい、知っているでしょう。

　　b．A：けい子さんの電話番号を知っていますか。

　　　　B：ぼくは知らないけど、マリアさんが知っているかもしれません。

⑤ a．A：リーさん、あしたはパーティーですけど、リーさんも行きますか。

　　　　B：はい、行くでしょう。

　　b．A：リーさん、あしたはパーティーですけど、リーさんも行きますか。

　　　　B：行くかもしれませんが、まだ分かりません。

 1. 次の会話を聞いてください。山中さんの手はどれでしょうか。

男：山中さん、ちょっと手を見せてください。

女：え、こうですか。

男：うーん、山中さんはとても長生きするでしょう。

女：どうしてですか。

男：この線が太くて、長いでしょ。そういう人は元気で長生きできますよ。

女：いくつぐらいまで生きるでしょうか。

男：そうですね。８０歳ぐらいまでだいじょうぶでしょう。あ、でも５０歳ぐらいの時、ちょっと病気に注意したほうがいいかもしれません。

女：へえ、よく分かりますねえ。あのう、結婚は早いでしょうか。

男：結婚ですか。あまり早くはないでしょうね。

女：そうですか……。じつは、来月結婚するんですけど。

男：ええっ。

山中さんの手はどれでしょうか。ａ・ｂ・ｃから選んでください。

２．もう一度会話を聞いてください。男の人は山中さんの手を見て、何と言っていますか。ａ・ｂ・ｃ・ｄの文の中で会話の内容に合っているものに○をつけてください。

　　　ａ．５０歳ぐらいまで生きるだろうと言っています。
　　　ｂ．長生きするだろうと言っています。
　　　ｃ．結婚は早くないだろうと言っています。
　　　ｄ．よく病気をするだろうと言っています。

25 地震のとき、恐かったです。

Tape 3-B CD 3-9

次の会話で女の人は何と言っていますか。例のように選んでください。

例 子ども：テレビ、見ていい？

母　　：ごはんを食べている間はだめ。食べてからはいいですよ。

a．ごはんを食べるとき、テレビを見なければなりません。

b．ごはんを食べてから、テレビを見てもいいです。

① 母　　：雨が降っている間は外に出てはいけませんよ。

子ども：はい。

a．雨がやんでから、外に出てもいいです。

b．雨が降っているうちに外に出たほうがいいです。

② 男：もう4時半だよ。5時までに着くかな。

女：暗くなる前に着きたいわね。

a．暗くなる前に着きたいです。

b．暗いうちに着きたいです。

③ 女：ジョンさん、きのうどうしたんですか。

男：かぜで熱が出て、寝ていました。一人で、とても困りました。

女：それは大変でしたね。そんなときは、いつでも電話して。

a．病気にならないうちにいつでも電話してください。

b．困ったとき、いつでも電話してください。

④ 女：さあ、どうぞ。温かいうちに食べて。

男：いただきます。ああ、おいしい。

a．温かくなってから、食べてください。

b．温かい間に、食べてください。

⑤ 男：この写真、いつとりましたか。

女：この前、箱根へ行ったときにとりました。

a．箱根へ行って、とりました。

b．箱根へ行く前にとりました。

⑥ 男：これは大事なことだから、忘れないでください。

女：はい。じゃ、忘れないうちに、手帳に書きます。

a．忘れてから、手帳を見ます。

b．覚えている間に、手帳に書きます。

会話を聞いて①から④までの文を完成させてください。はじめに文を読んでください。

女：トムさん、この間の地震は大変でしたね。恐かったでしょう。

男：ええ。地震が来たときわたしはまだ寝ていました。

女：びっくりしたでしょう。

男：ええ、揺れている間は、立つこともできませんでした。

女：まあ。それで、火事は起きませんでしたか。

男：ええ、近所で火事がありました。わたしは火が近くに来ないうちに、逃げました。

女：地震の後も大変だったでしょう。

男：ええ、水道や電気が止まっている間はとても困りました。

女：そうですか。地震は本当に恐いですね。

各課主要的學習事項

課	句　型	例　句
1	・〜は〜です ・〜は〜ですか ・〜も〜です ・〜も〜の〜です	リーさんは　学生^{がくせい}です。 リーさんは　学生ですか。はい、そうです。 キムさんも　学生です。 これは　キムさんの　かばんです。
2	・購物的表現方法・數字的說法　X	これは　いくらですか。それは　50円^{えん}です。 この花^{はな}を　7本^{ほん}　ください。はい、350円です。
3	・購物的表現方法・數字的說法　Y ・難聽懂的數字	70円のを　八つ^{やっ}　ください。はい、どうぞ。 四つ^{よっ}では　ありません。八つですよ。
4	・時間、星期、月、日、年齡的說法 ・です／でした	今^{いま}　何時^{なんじ}ですか。五時十分前^{ごじじっぷんまえ}です。 あしたは　水曜日^{すいようび}です。 きのうは　五月二十日^{ごがつはつか}でした。
5	・位置關係、存在 　〜にあります 　〜にいます	電話^{でんわ}は　テーブルの上^{うえ}に　あります。 （上^{うえ}／下^{した}／中^{なか}／前^{まえ}／後ろ^{うし}／横^{よこ}） 先生^{せんせい}は　教室^{きょうしつ}に　います。 猫^{ねこ}は　いすの上に　います。
6	・基本的自動詞 ・助詞　へ／と／で／に／〜から〜まで ・〜ませんか　（勧誘）	友達^{ともだち}と　学校^{がっこう}へ　行^いきます。 会社^{かいしゃ}で　働^{はたら}きます。 六時^{ろくじ}に　起^おきました。 アルバイトは　六時から　八時^{はちじ}までです。 ちょっと　休^{やす}みませんか。
7	・い形容詞、な形容詞的修飾用法與敘述用法	これは　おいしい　料理^{りょうり}です。 リーさんは　親切^{しんせつ}な　人^{ひと}です。 この料理は　おいしいです。 その料理は　あまり　おいしく　ないです。 この花は　きれいです。 あの花は　あまり　きれいでは　ありません。
8	・基本的他動詞 ・もう，まだ ・次數、時間	きのう　映画^{えいが}を　見^みました。 もう　ご飯^{はん}を　食^たべましたか。いいえ、まだです。 一日^{いちにち}に　三時間^{さんじかん}　日本語^{にほんご}を　勉強^{べんきょう}します。
9	・授受相關的動詞 　〜に〜をあげます 　〜に／から〜をもらいます 　かします／かります 　おしえます／ならいます	タンさんは　マリアさんに　本^{ほん}を　あげました。 マリアさんは　タンさんに／から　本を　もらいました。 タンさんは　マリアさんに　辞書^{じしょ}を　貸^かしました。 マリアさんは　タンさんに／から　辞書を　借^かりました。

課	句　型	例　句
10	・〜に行きます ・〜で作ります（材料） ・〜で行きます（手段） ・〜を出ます（出發） ・〜に着きます（到達處）	デパートへ　シャツを　買いに　行きます。 バターは　牛乳で　作ります。 タクシーで　行きます。 8時に　家を　出ます。 12時に　東京に　着きました。
11	・〜は〜が〜です構文 X 　〜は〜が〜できます／じょうずです 　／わかります	象は　花が　長いです。 わたしは　テニスが　できます。 リーさんは　サッカーが　上手です。
12	・〜は〜が〜です構文 Y ・〜は〜が好き／きらいです ・〜たいです／ほしいです ・〜から（原因、理由）	わたしは　甘い　コーヒーが　好きです。 甘い　コーヒーが　飲みたいです。 このコーヒーは　甘く　ないですから、ほしく　ない です。
13	・い 形容詞、な形容詞的過去式 ・〜くなります（い 形容詞） 　〜になります（な形容詞）	きのうは　寒かったです。 おとといは　寒く　なかったです。 あたたかく　なりました。 日本語が　上手に　なりました。
14	・比較 　〜のほうが〜です 　〜は〜ほど〜ないです 　〜のなかで〜がいちばん〜です	このカメラと　あのカメラと　どちらが　安いですか。 あのカメラのほうが　安いです。 この本は　あの本ほど　おもしろく　ないです。 スポーツの中で、何が　一番　好きですか。
15	・動詞的 て型 X 　〜ています（動作的進行） 　〜て〜て〜します 　〜てから〜します	タンさんは　いま　テレビを　見ています。 あさ 起きて、かおを　あらって、ごはんを　食べます。 ごはんを　食べてから、学校へ　行きます。
16	・動詞的 て型 Y 　〜てください（委託） 　〜てもいいですか（許可） 　〜てはいけません（禁止） 　〜ましょうか（詢問意向）	窓を　閉めて　ください。 座っても　いいですか。 座っては　いけません。 窓を　閉めましょうか。
17	・動詞的 て型 Z 　〜ています（結果的延續） 　〜てきます	車が　止まって　います。 雨が　降って　きました。 切符を　買って　きます。
18	・い形容詞句的接續 ・な形容詞句的接續 ・名詞句的接續	この荷物は　大きくて、重いです。 この町は　静かで、きれいです。 これは　日本の車で、あれは　ドイツの車です。

課	句　型	例　句
19	・動詞的字典型 　〜ことができます（能力） 　〜まえに 　　　〜は〜ことです（名詞化）	日本語を　話す　ことが　できます。 寝る　まえに　歯を　磨きます。 趣味は　切手を　集める　ことです。
20	・動詞的ない型 　　〜なければなりません 　　〜なくてもいいです 　　〜ないでください	勉強を　しなければ　なりません。 勉強を　しなくても　いいです。 窓を　開けないで　ください。
21	・動詞的た型 　　〜たことがあります 　　〜たほうがいいです 　　〜ないほうがいいです	富士山に　上った　ことが　あります。 もっと　勉強した　ほうが　いいですよ。 あまり　食べない　ほうが　いいですよ。
22	・常體	新聞を　読む。 今日は　あつい。 これは　便利だ。 あには　大学生だ。
23	・〜と言います／〜と伝えます／ 　〜と思います	「パーティーをする」と　伝えて　ください。 リーさんは　来ると　思います。
24	・〜でしょう（推測） 　〜でしょう（尋求同意） ・〜かもしれません（推測）	マリアさんは　たぶん　来るでしょう。 この本　おもしろいでしょう。ええ、とても。 あした　雪が　降るかも　しれません。
25	・とき ・あいだ ・うちに	病気の時　困ります。 食事のあいだ　たばこを　吸っては　いけません。 雨が　降らない　うちに　帰りましょう。

INDEX

かしこまりました … 遵命了，知道了

いただく … 接受

～さつ(～冊) … ～本、～冊(計算書本、雜誌的量詞)

それから … 然後

けしゴム(消しゴム) … 橡皮擦

まいど(毎度) … 每次

まいどありがとうございます

　　謝謝您

いくつ … 幾個

ちがう(違う) … 不對

そうでしょうね … 應該是吧

おにぎり … 飯糰

ビデオカメラ … 攝影機

なんがつ(何月) … 幾月

きのう(昨日) … 昨天

なんようび(何曜日) … 星期幾

どようび(土曜日) … 星期六

せんげつ(先月) … 上個月

らいしゅう(来週) … 下星期

かようび(火曜日) … 星期二

あさって … 後天

すいようび(水曜日) … 星期三

げつようび(月曜日) … 星期一

おやすみ(お休み) … 公休

あさ(朝) … 早晨

ごご(午後) … 下午

いらっしゃいませ … 歡迎光臨

こんにちは … 你好、午安

おまたせしました(お待たせしました)

　… 讓您久等了

ちょうど … 正好

しょうひぜい(消費税) … 消費税

ぜんぶで(全部で) … 總共

それじゃ … 那麼

もくようび(木曜日) … 星期四

たんじょうび(誕生日) … 生日

こどものひ(こどもの日) … 兒童節

はたち(20歳) … 20歳

こども(子供) … 小孩

もう … 已經

おとな(大人) … 大人

おめでとう … 恭喜

なんさい(何歳) … 幾歳

---

4 課

なんじ(何時) … 幾點

いま(今) … 現在

つぎの(次の) … 下一個、其次

バス … 公共汽車

としょかん(図書館) … 圖書館

あした … 明天

にちようび(日曜日) … 星期日

なんにち(何日) … 哪一天、幾號

こんげつ(今月) … 這個月

---

5 課

ほんだな(本棚) … 書架

でんわ(電話) … 電話

テーブル … 桌子

ドア … 門

いぬ(犬) … 狗

まど(窓) … 窗戶

ひだり(左) … 左

テレビ … 電視

あいだ(間) … 之間

ゆうびんきょく(郵便局) … 郵局

えき(駅) … 車站

かいだん(階段) … 樓梯

にかい(2階) … 2樓

じむしつ(事務室) … 辦公室

テープレコーダー … 錄音機

しょくどう(食堂) … 餐廳

トイレ … 洗手間

つくえ(机) … 書桌

こくばん(黒板) … 黑板

とけい(時計) … 鐘、錶

ああ、わかりました … 啊，我懂了

ねこ(猫) … 貓

はこ(箱) … 箱子

ちかく(近く) … 附近

ほんや(本屋) … 書店

ぎんこう(銀行) … 銀行

おおきな(大きな) … 大的

となり(隣) … 隔壁

くすりや(薬屋) … 藥局

こうえん(公園) … 公園

スーパー … 超級市場

アパート … 公寓

 6 課

けさ(今朝) … 今天早上

がっこう(学校) … 學校

いく(行く) … 去

おきる(起きる) … 起床

くる(来る) … 來

かえる(帰る) … 回去、回來

ねる(寝る) … 睡覺

ひとりで(一人で) … 一個人

ちょっと … 稍微

やすむ(休む) … 休息

じゅぎょう(授業) … 授課、課業

ある … 有

えいが(映画) … 電影

すみません … 對不起

べんきょうする(勉強する) … 學習

アルバイト … 打工

どうですか … 如何呢？

うん … 嗯

いいですよ … 好呀

～ごろ … 大約、左右

わかる(分かる) … 了解

7 課

やすみのひ(休みの日) … 假日

しんじゅく(新宿) … 新宿(東京地名)

どんな … 怎樣的

とても … 很、非常

にぎやかな … 熱鬧的

おくに(お国) … 貴國

どちら … 哪裡

ブラジル … 巴西

ひこうき(飛行機) … 飛機

にじゅうじかんぐらい(20時間ぐらい)
… 20小時左右

とおい(遠い) … 遠的

みなさん!(皆さん!) … 各位、大家

にほんご(日本語) … 日語

しけん(試験) … 考試

むずかしい(難しい) … 困難的

しゅくだい(宿題) … 作業、功課

する … 做

ぼく(僕) … 我(男子對同輩及晚輩的自稱)

いそがしい(忙しい) … 忙碌的

よしゅう(予習) … 預習

ふくしゅう(復習) … 複習

ほんとうに(本当に) … 眞的、的確

まじめ … 認眞

オレンジジュース … 柳橙汁

つめたい(冷たい) … 冷的

おきゃくさま(お客様) … 客人

くつ(靴) … 鞋子

いかがでしょうか … 如何呢？

そうですね … 我想想

ちいさい(小さい) … 小的

りょうり(料理) … 菜餚、料理

おいしい … 美味的

あまり～ない … 不太～

おおきい(大きい) … 大的

おもしろい(面白い) … 有趣的

へや(部屋) … 房間

きれい … 乾淨

おんがく(音楽) … 音樂

ぶっか(物価) … 物價

たかい(高い) … 貴的、高的

くに(国) … 國家、故郷

パーティー … 宴會

いろんな … 各種的

きもの(着物) … 和服

きれい … 美麗的

おび(帯) … (和服的)腰帶

おもい(重い) … 重的

しろい(白い) … 白色的

くつした(靴下) … 襪子

たび(足袋) … 日本式布襪子

かるい(軽い) … 輕的

いろ(色) … 顏色

8課

みる(見る) … 看

あさごはん(朝ごはん) … 早餐

たべる(食べる) … 吃

しんぶん(新聞) … 報紙

よむ(読む) … 閱讀

かう(買う) … 買

コーヒー … 咖啡

のむ(飲む) … 喝

こんばん(今晩) … 今晚

あう(会う) … 見面

これから … 今後

まだ … 還(沒有)～

ひるごはん(昼ごはん) … 午餐

デパート … 百貨公司

ときどき … 有時

でも … 不過～

みず(水) … 水

ビデオ … 錄影帶

たくさん … 很多

よる(夜) … 晚上

カラオケ … 卡拉OK

いろいろ … 各式各樣的

うた(歌) … 歌曲

うたう(歌う) … 唱

たのしい(楽しい) … 愉悅的

だいじょうぶ … 沒問題

もらう … 領受、收到

あげる … 給

CD … CD

おかし(お菓子)…（日式）點心、糕點

かう(買う)… 買

みる(見る)… 看

ビデオや … 錄影帶店

かりる(借りる)… 借入

じょうず(上手)… 擅長、高明

ならう(習う)… 學習

ともだち(友達)… 朋友

サッカー … 足球

きっぷ(切符)… 票

どうしましたか … 怎麼樣呢？

せんぱい(先輩)… 前輩

ほんとう(本当)… 眞的

おじさん(伯父さん)… 伯父、叔、舅

だいじ(大事)… 保重、留心

およぐ(泳ぐ)… 游泳

うみ(海)… 海

やま(山)… 山

えき(駅)… 車站

かぜ(風邪)… 感冒

あたまがいたい(頭が痛い)… 頭疼

くすり(薬)… 藥

くつや(靴屋)… 鞋店

すしや(寿司屋)… 壽司店

にんぎょう(人形)… 洋娃娃、人偶

はは(母)… 母親

おくる(送る)… 送

くうこう(空港)… 機場

きをつける(気をつける)… 留心

としょかん(図書館)… 圖書館

えいがかん(映画館)… 電影院

いいてんき(いい天気)… 好天氣

ほんとうに(本当に)… 眞的

さんぽにいく(散歩に行く)… 散步

おわる(終わる)… 結束

じゃ … 那麼

しょくじ(食事)… 用餐

レストラン … 餐廳

チーズ … 起司

とうふ … 豆腐

ぎゅうにゅう(牛乳)… 牛奶

だいず(大豆)… 大豆

かえす(返す)… 歸還

おんがくかい(音楽会)… 音樂會

このへん(この辺)… 這一帶、這附近

ちかてつ(地下鉄)… 地下鐵

いりぐち(入口)… 入口

ケーキ … 蛋糕

くだもの(果物)… 水果

やあ … 哦

ええ、ちょっと … 嗯，有點不方便

なりた(成田)… 成田（機場）

かえる(帰る)… 回去

くに(国)… 國家

むかえる(迎える)… 迎接

なりたエクスプレス(成田エクスプレス)
　… 成田特快車

かかる … 花費(時間)

そうですね … 是呀

いちじかんちょっと（1時間ちょっと）

　… 1小時多

のる（乗る）… 搭乘

くるま（車）… 汽車

うんてん（運転）… 開車

ギター … 吉他

かんじ（漢字）… 漢字

ぜんぜん（全然）… 完全

ゴルフ … 高爾夫

スキー … 滑雪

め（目）… 眼睛

みみ（耳）… 耳朵

はな（鼻）… 鼻子

ながい（長い）… 長的

からだ（体）… 身體

あかい（赤い）… 紅色的

にく（肉）… 肉

くび（首）… 脖子

あし（足）… 腳、腿

はやい（速い）… 快速的

て（手）… 手

りょかん（旅館）… 旅館

たてもの（建物）… 建築物

ふるい（古い）… 舊的

はいる（入る）… 進入

にわ（庭）… 庭院

ひろい（広い）… 寬敞的

き（木）… 樹木

おおい（多い）… 多的

しずか（静か）… 安靜

ねだん（値段）… 價格

やすい（安い）… 便宜的

かぜをひく（風をひく）… 感冒

ねつ（熱）… 發燒

やすむ（休む）… 請假

あるく（歩く）… 走路

たいへん（大変）… 嚴重、辛苦

けっこんする（結婚する）… 結婚

やさしい（優しい）… 溫柔的

のどがかわく（喉が渇く）… 口渇

なにしますか（何にしますか）

　… 您要用點什麼呢？

ウーロンちゃ（ウーロン茶）… 烏龍茶

コンピュータ … 電腦

インターネット … 網際網路

べんり（便利）… 方便

E—メール … 電子郵件

おくる（送る）… 傳送

ところ … 地方

テニス … 網球

デート … 約會

せんたく（洗濯）… 洗衣服

それはちょっと … 我不太方便

おねがいする（お願いする）… 麻煩你了

なんですか（何ですか）

　… 有什麼事嗎?

よく … 時常

いやあ … 不

すごく … 相當

あまい（甘い）… 甜的

えっ、いいんですか … 嗯，可以嗎?

～ねんまえ（～年前）… ～年前

すずしい(涼しい) … 涼爽的

まえから(前から) … 從以前開始

とこや(床屋) … 理髮店

ずいぶん … 相當

きる(切る) … 剪

かみ(髪) … 頭髪

みじかい(短い) … 短的

はんぶん(半分) … 一半

けど(けれど／けれども) … 但〜

〜かい(〜階) … 〜樓

ロビー … 大廳

エレベーター … 電梯

ちがう(違う) … 不同

みち(道) … 道路

せまい(狭い) … 狹窄的

それに … 而且

みんな … 都

ひくい(低い) … 低的

はやく(早く) … 迅速地

────── **14**課

どちら … 誰、哪裡

せい(背) … 身高

たかい(高い) … 高的

やま(山) … 山

おもい(重い) … 重的

わかい(若い) … 年輕的

おなじ(同じ) … 同樣的

くらい … (像〜)那樣、程度

ながい(長い) … 長的

ほど〜ない … 沒有〜那樣

ワイン … 葡萄酒

ウイスキー … 威士忌

いつ … 何時

いちばん(一番) … 最、一級棒

あつい(暑い) … 熱的

おきなわ(沖縄) … 沖繩

きょうと(京都) … 京都

ふるいおてら(古いお寺) … 古寺、老廟

なにいろ(何色) … 什麼顏色

さくら … 櫻花

クラス … 班級

テニス … 網球

サッカー … 足球

やすい(安い) … 便宜的

でんき(電気) … 電

ガス … 瓦斯

よく … 時常

つかう(使う) … 使用

べんり(便利) … 方便

ひま … 空閒

ききとり(聞き取り) … 聽力

かきとり(書き取り) … 聽寫

むずかしい(難しい) … 困難的

やさしい(易しい) … 容易的

ちず(地図) … 地圖

そうですね … 的確是如此

アジア … 亞洲

フィリピン … 菲律賓

マレーシア … 馬來西亞

タイ … 泰國

ずっと … 〜得多

おおきい(大きい) … 大的

ああ,そうですか … 啊,這樣子呀

────── **15**課

りょうり(料理) … 菜餚、料理

つくる（作る）… 烹調、做

さら（皿）… 盤子

あらう（洗う）… 清洗

のむ（飲む）… 喝

てがみ（手紙）… 信

かく（書く）… 書寫

たべる（食べる）… 吃

は（歯）… 牙齒

みがく（磨く）… 刷淨、擦亮

べんきょうする（勉強する）… 學習

おわる（終わる）… 結束

おふろにはいる（お風呂に入る）… 洗澡

ねる（寝る）… 睡覺、就寢

やすむ（休む）… 休息

はなす（話す）… 說話

ほんと … 的確

えいご（英語）… 英語

すわる（座る）… 坐

16課

つかう（使う）… 使用

はい、わかりました … 是，知道了

コピーする … 影印

コピーき（コピー機）… 影印機

さんばん（3番）… 3號

うんどうこうえん（運動公園）… 運動公園

でも … 然而

まつ（待つ）… 等待

はいる（入る）… 進入

ロッカー … 置物箱

いれる（入れる）… 放入

ごみ … 垃圾

すてる（捨てる）… 丟棄

ごみばこ（ごみ箱）… 垃圾桶

じぶんで（自分で）… 自己一人

いえ（家）… 房子

いろ（色）… 顏色

だいすき（大好き）… 很喜歡

えはがき（絵葉書）… 風景明信片

ポスター … 海報

しゃしんをとる（写真をとる）… 照相

だめ … 不行

ざんねん（残念）… 遺憾

さむい（寒い）… 寒冷的

まど（窓）… 窗戶

しめる（閉める）… 關上

くらい（暗い）… 漆黑的、暗的

つける … 點上、開

いす … 椅子

はこぶ（運ぶ）… 搬運

さいふ（財布）… 錢包

おかね（お金）… 金錢

わすれる（忘れる）… 忘記

かす（貸す）… 借出

ちち（父）… 父親

あう（会う）… 見面

きる（切る）… 剪

おさきにしつれいします（お先に失礼します）
　　… 對不起，先告辭了

すぐ … 立刻

よむ（読む）… 閱讀

しろ（城）… 城

けんがくする（見学する）… 觀摩、考察

はしる（走る）… 跑

ゆっくり … 慢慢地

あるく（歩く）… 走

おす（押す）… 壓、推

かたな(刀)…武士刀

かぶと…頭盔

あんない(案内)…引導、嚮導

かた(方)…人、位

はなし(話)…談話

こえ(声)…聲音

のぼる(登る)…登上

きをつける(気をつける)…留心

しつもん(質問)…詢問

おそい(遅い)…晩的、慢的

よぶ(呼ぶ)…召喚

(てがみを)だす(出す)…寄信

あめ(雨)…下雨

(あめが)ふる(降る)…下雨

かす(貸す)…借出

テスト…測驗、考試

─────────────── 17 課

おにいさん(お兄さん)…哥哥

もん(門)…門

とまる(止まる)…停止

まつ(待つ)…等待

さく(咲く)…(花)開

おわる(終わる)…結束

しる(知る)…知道

よこはま(横浜)…横濱(地名)

すむ(住む)…居住

ワープロ…文書處理機

こわれる(壊れる)…損壞

(でんきが)つく…開燈

けす(消す)…關上

あく(開く)…開

(かぎが)かかる…上鎖

あける(開ける)…打開

ドア…門

しまる(閉まる)…關上

だす(出す)…拿出

なおす(直す)…修理

ごみ…垃圾

おちる(落ちる)…掉落

そうじする(掃除する)…打掃

でんしゃ(電車)…電車

めずらしい(珍しい)…罕見的

れいぞうこ(冷蔵庫)…冰箱

ジュース…果汁

おきゃくさん(お客さん)…客人

おたんじょうび(お誕生日)…生日

─────────────── 18 課

かたい(堅い)…硬的

まずい…難吃的

きたない(汚い)…骯髒的

やわらかい(柔らかい)…柔軟的

さびしい(寂しい)…寂寞的

あかるい(明るい)…明亮的

じょうぶ(丈夫)…堅固

かぜ(風)…風

つよい(強い)…強勁的

このへん(この辺)…這一帶、這附近

うるさい…吵雜的

せんもんがっこう(専門学校)…專門學校

カメラマン…攝影師

せんもん(専門)…專攻

クーラー…冷氣

なつ(夏)…夏天

おだわらゆき(小田原行き)…開往小田原

ああ、よかった…啊，太好了

まちだ(町田) … 町田(地名)

とまる(止まる) … 停止

きゅうこう(急行) … 快車

のどがいたい(喉が痛い) … 喉嚨痛

せき(咳) … 咳嗽

でる(出る) … 產生、出現

おなか(お腹) … 肚子

どれどれ … (張開嘴)讓我看看

たぶん … 大概

きいろい(黄色い) … 黃色的

あさひるばん(朝昼晩) … 早上、中午、晚上

～ずつ … ～各～

～じょう(～錠) … ～藥片、～錠

おだいじに(お大事に) … 請保重

 19 課

ひく(弾く) … 彈奏

できる … 能夠

にほんじゅう(日本中) … 日本全國

りょこうする(旅行する) … 旅行

きる(着る) … 穿

せんたくき(洗濯機) … 洗衣機

シャツ … 襯衫

きょうかしょ(教科書) … 教科書

はじめに(初めに) … 開始時、最初

テープ … 錄音帶

うち … 家

ならう(習う) … 學習

りょうりがっこう(料理学校) … 烹飪學校

でんわする(電話する) … 打電話

むかえにいく(迎えに行く) … 前往迎接

だいがくさい(大学祭) … 大學園遊會

わたしたち(わたし達) … 我們

どんなこと … 什麼事

とくに(特に) … 特別、尤其

かんこく(韓国) … 韓國

コンサート … 音樂會

それじゃあ(＝それでは) … 那麼

たのむ(頼む) … 要求、請託

それから … 之後

ギョウザ … 餃子

シュウマイ … 燒賣

ラーメン … 拉麵

など … 等等

みせをだす(店を出す) … 設攤位

ところで … 話說

こまる(困る) … 困擾、受窘

あ、そうだ … 啊，我知道了

～はい(～はい、ばい) … ～杯

 20 課

かみ(紙) … 紙

わかる … 了解

だす(出す) … 拿出

はやく(早く) … 早

たばこ … 香菸

すう(吸う) … 吸(菸)

かえす(返す) … 歸還

このへん(この辺) … 這一帶

ちゅうしゃじょう(駐車場) … 停車場

ぬぐ(脱ぐ) … 脫

(レントゲンを)とる … 照X光

いき(息) … 呼吸

ごめんなさい … 對不起

かたづける(片づける) … 整理
セルフサービス … 自助式
はんこ … 印章
はんこをおす(押す) … 蓋章
サイン … 簽名
ガラス … 玻璃
コップ … 玻璃杯
こわす(壊す) … 損壞

じっけん(実験) … 實驗
レポート … 報告
ほんとうに … 眞的、相當
おねえさん(お姉さん) … 姊姊
とんでもない … 不合情理的、意想不到的
しゅふ(主婦) … 家庭主婦
けっこう … 相當、很
ようちえん(幼稚園) … 幼稚園
つれていく(連れて行く) … 帶～去
ゆうがた(夕方) … 傍晚
かいもの(買い物) … 購物
ゆうしょく(夕食) … 晚餐
じゅんび(準備) … 準備
だいどころ(台所) … 廚房
せんたくもの(洗濯物) … 洗滌物
アイロンをかける … 熨燙衣物
やっと … 終於
ふーん … 是嗎
なかなか … 很、非常

ふじさん(富士山) … 富士山
のぼる(登る) … 攀登、爬
にほんりょうり(日本料理) … 日本料理
なつやすみ(夏休み) … 暑假
もういちど(もう一度) … 再一次
さがす(探す) … 尋找
うんどうする(運動する) … 運動
つかれる(疲れる) … 疲倦
こむ(混む) … 擁擠
こまる(困る) … 困擾
こまったなあ(困ったなあ) … 眞傷腦筋呀

こんどの(今度の) … 下次的
でかける(出かける) … 出門
まいねん(毎年) … 毎年
ゆき(雪) … 雪
ぜひ … 務必
ぜんぶ(全部) … 全部
スキーじょう(すき一場) … 滑雪場
はじめてのひと(初めての人) … 初次見面的人

────────────── 22 課

けさ(今朝) … 今天早上
しんぶん(新聞) … 報紙
かいぎ(会議) … 開會
おわる(終わる) … 結束
もういっぱい … 再來一杯
ビール … 啤酒
どう? … 如何?
コピーする … 影印
ああ、いいよ … 啊，好呀
あんまり … 不太～
すっぱい(酸っぱい) … 酸的

────────────── 21 課

かぶき(歌舞伎) … 歌舞伎
おくさん(奥さん) … 夫人、太太
きょねん(去年) … 去年
もつ(持つ) … 擁有

あとで(後で) … 稍後

アルバイトしている … 打工

かまくら(鎌倉) … 鎌倉(地名)

ひとりで(一人で) … 獨自一人

おだきゅうせん(小田急線) … 小田急線(鐵路名)

えのでん(江の電) … 江島電鐵(鐵路名)

のりかえる(乗り換える) … 轉換(車)

まど(窓) … 窗戶

みえる(見える) … 看見

～ねんかん(年間) … ～年

ちゅうしん(中心) … 中心

ですから … 因此

だいぶつ(大仏) … 大佛

たのしかった(楽しかった) … 愉快的

もしもし … 喂

でかける(出かける) … 出門

メモする … 摘錄

フランス … 法國

なつやすみ(夏休み) … 暑假

クラスかい(クラス会) … 同學會

ええと … 嗯

じかん(時間) … 時間

ばしょ(場所) … 地點

しながわ(品川) … 品川(地名)

ロビー … 大廳

あつまる(集まる) … 集合

しつれいする(失礼する) … 告辭

23課

こんばん(今晩) … 今天晚上

おなかがいたい(お腹が痛い) … 肚子痛

やすむ(休む) … 請假

ゆっくり … 好好地

つたえる(伝える) … 傳送

あそぶ(遊ぶ) … 遊玩

あそびにくる(遊びに来る) … 來玩

ううん … 不

そうじゃないです(=そうではありません)
… 不是

ネクタイ … 領帶

おげんきで(お元気で) … 請保重

りょこう(旅行) … 旅行

おくる(送る) … 送

しばらくです … 好久不見

いただきます … 我要吃了

ごちそうさま … 我吃飽了

24課

きょうだい(兄弟) … 兄弟姊妹

おとうと(弟) … 弟弟

いもうと(妹) … 妹妹

たぶん … 大概、或許

みる(見る) … 看

でんわばんごう(電話番号) … 電話號碼

て(手) … 手

みせる(見せる) … 呈現

こうですか … 這樣子嗎?

ながいきする(長生きする) … 長壽

せん(線) … 線

ふとい(太い) … 粗的、胖的

いきる(生きる) … 活著

ちゅういする(注意する) … 注意

じつは(実は) … 實際上

そとにでる（外に出る）… 外出

おかあさん（お母さん）… 母親

あめがやむ（雨が止む）… 雨停

ねつがでる（熱が出る）… 發燒

あたたかい（温かい）… 溫的

おぼえる（覚える）… 記得

このあいだ（この間）… 最近

じしん（地震）… 地震

こわい（怖い）… 恐怖的

じしんがおきる（地震が起きる）
… 發生地震

ゆれる（揺れる）… 震動

たつ（立つ）… 站立

かじ（火事）… 火災

いそぐ（急ぐ）… 緊急

にげる（逃げる）… 逃離

すいどう（水道）… 自來水（管）

とまる（止まる）… 停止

それに … 而且

こわれる（壊れる）… 損壊

おおぜい（大勢）… 很多

なくなる（亡くなる）… 死亡

著者紹介

宮城幸枝
国際基督教大学教養学部語学科卒
東海大学留学生教育センター教授

三井昭子
お茶の水女子大学文学科国語国文学専攻卒
前東海大学留学生教育センター
前桜美林大学国際学部非常勤講師
にほんごの会会員

牧野恵子
津田塾大学英文学科卒
東海大学留学生教育センター非常勤講師

柴田正子
東京外国語大学インドシナ科卒
横浜国立大学留学生センター・フェリス女学院大学非常勤講師

太田淑子
東北大学教育学部教育科学科卒
静岡大学教育学部講師

原本書名 -「毎日の聞きとり 50 日初級　上」

每日聽力日本語 50 日課程　初級 I

（本書備有音聲教材）

2000 年（民 89）1 月 1 日 第 1 版 第 1 刷 發行
2010 年（民 99）9 月 1 日 第 1 版 第 14 刷 發行

定價 新臺幣 200 元整

編　　著	宮城幸枝・三井昭子・牧野恵子
	柴田正子・太田淑子
授　　權	株式会社凡人社
發 行 人	林　　寶
發 行 所	大新書局
地　　址	台北市大安區 (106) 瑞安街 256 巷 16 號
電　　話	(02)2707-3232・2707-3838・2755-2468
傳　　真	(02)2701-1633・郵撥帳號：00173901
登 記 證	行政院新聞局局版台業字第 0869 號